GOLO GASTRO RETETE HRA PENTRU UN STIL DE VIATA ECHILIBRAT

100 de rețete delicioase pentru pierderea în greutate și gestionarea insulinei

Valentina Niță

CUPRINS _

INTRODUCERE

Bine ați venit în lumea GOLO Gastronomie! În această carte de bucate, vă invităm să porniți într-o călătorie culinară care se aliniază cu principiile Dietei GOLO. Cu accent pe alimente integrale, nutriție echilibrată și alimentație atentă, Dieta GOLO dă putere persoanelor să obțină controlul greutății și starea generală de bine. Această carte de bucate servește ca însoțitor al călătoriei tale GOLO, oferind rețete hrănitoare care îți încântă papilele gustative în timp ce îți susțin obiectivele de sănătate.

Dieta GOLO este centrată în jurul ideii de a echilibra nivelul de insulină, de a promova metabolismul sănătos și de a alimenta organismul cu alimente bogate în nutrienți. Această carte de bucate celebrează aceste principii prezentând o colecție de rețete delicioase și satisfăcătoare, care încorporează ingrediente sănătoase și profiluri de arome din diverse tradiții culinare. Este conceput pentru a vă inspira și a vă împuternici să creați mese hrănitoare și plăcute, făcând experiența dvs. GOLO o aventură culinară.

În aceste pagini, veți descoperi o comoară de rețete care includ produse proaspete, proteine slabe și cereale integrale. De la salate vibrante și supe consistente până la feluri principale aromate și deserturi fără vinovăție, am creat o colecție care se adresează diferitelor gusturi și preferințe dietetice. Fiecare rețetă este concepută cu atenție pentru a asigura o nutriție echilibrată și controlul porțiilor, oferind în același timp aromele și satisfacția de care îți dorești.

Dar această carte de bucate este mai mult decât o simplă compilație de rețete. De asemenea, oferim o introducere în principiile și știința din spatele dietei GOLO, oferind perspective asupra modului în care aceasta sprijină gestionarea greutății și bunăstarea generală. În plus, vă împărtășim sfaturi practice pentru planificarea meselor, cumpărături alimentare și tehnici de gătit pentru a vă ajuta să vă navigați cu încredere călătoria culinară.

Așadar, fie că sunteți nou în dieta GOLO, fie că sunteți un adept experimentat care caută inspirație proaspătă, lăsați „GOLO Gastronomie: Rețete hrănitoare pentru un stil de viață echilibrat" să vă fie ghidul. Pregătește-te să-ți transformi farfuria într-o pânză de arome, culori și texturi care îți hrănesc corpul și îți satisfac papilele gustative.

Mic dejun

1.Clătite rapide cu proteine și unt de arahide

Timp total: 15 MIN| Servire: 1

INGREDIENTE:
● 1 lingură de pudră de proteine cu conținut scăzut de carbohidrați
● 2 oua
● 2 linguri de unt de arahide natural
● 2 linguri de semințe de in
● 2 linguri de apă
● Ulei de măsline pentru ungere
●

INSTRUCȚIUNI:
● Într-un castron, amestecați pudra de proteine, ouăle, untul de arahide, apa și semințele de in.
● Se unge cu ulei de masline si se incinge o tigaie mare antiaderenta la foc mediu.
● Puneți un amestec de aluat și gătiți timp de 2 minute pe fiecare parte sau până când apar bule la suprafață. Transferați pe o farfurie.
● Se serveste fierbinte.

NUTRIȚIE: Calorii 406,41 | Grăsimi totale 23,59g | Carbohidrați neți: 13,78 g | Proteine 17,8g | Fibre: 8,48 g)

2.Mic dejun Guacamole Bacon și Ouă

Timp total: 13 MIN| Porții: 4

INGREDIENTE:

- 4 felii de bacon sau panceta
- 2 linguri smântână groasă
- 2 linguri ulei de avocado
- 4 ouă
- Sare si piper dupa gust
-

INSTRUCȚIUNI:

- Într-un castron, bate ouăle cu smântână groasă și sare și piper măcinat după gust.
- Se toarnă amestecul de ouă peste bacon și se fierbe timp de 2-3 minute.
- Întoarceți baconul și ouăle pe cealaltă parte și gătiți încă 1 minut.
- Serviți și savurați.

NUTRIȚIE: Calorii 167 | Grăsimi totale 10g | Carbohidrați neți: 1g | Proteine 5,8g | Fibre: 0,3 g)

3.Briose de cânepă cu nuci

Timp total: 35 MIN| Porții: 12

INGREDIENTE:
- 2 1/2 căni de făină de cânepă
- 1 1/2 cani de nuci, tocate
- 1/2 cană de îndulcitor la alegere
- 4 linguri ulei de măsline extravirgin
- 1 lingurita extract de vanilie
- 2 linguri praf de copt
- 1 lingurita bicarbonat de sodiu

INSTRUCȚIUNI:
- Preîncălziți cuptorul la 345 F.
- Într-un castron mic, amestecați uleiul de măsline, îndulcitorul la alegere și vanilia.
- Într-un castron separat, combinați făina de cânepă, praful de copt și bicarbonatul de sodiu. Se adaugă nucile mărunțite și se amestecă.
- Adăugați amestecul de ulei de măsline la amestecul de făină și amestecați ușor.
- Turnați un aluat în 12 căni de brioșe, umpluți 3/4.
- Coaceți timp de 18-20 de minute. Se lasă să se răcească 10 minute în tava pentru brioșe, apoi se răstoarnă pe un grătar pentru a se răci complet. Servi.

NUTRIȚIE: Calorii 301 | Grăsimi totale 17,2 g | Carbohidrați neți: 17,8 g | Proteine 21,5g | Fibre: 6,6 g)

4.GOLO Pancetta la cuptor și ouă

Timp total: 20 MIN| Porții: 6

INGREDIENTE:

- 6 felii Pancetta, maruntita
- 8 oua
- 3/4 cană brânză Cheddar, rasă
- 3/4 cană smântână groasă
- Sare si piper dupa gust
- Ulei de măsline pentru ungere

INSTRUCȚIUNI:

- Preîncălziți cuptorul la 350 F. Ungeți o tavă mare de copt cu ulei de măsline.
- Într-un castron, bate ouăle cu brânză Cheddar mărunțită și smântână și asezonează cu sare și piper după gust.
- Se sfărâmă uniform pancetta peste amestecul de ouă. Pune vasul de copt într-un cuptor preîncălzit.
- Coaceți timp de 15 minute.
- Serviți imediat.

NUTRIȚIE: Calorii 295 | Grasimi totale 24g | Carbohidrați neți: 1,3 g | Proteine 18,3 g)

5.GOLO Muşcă de Afine de Cocos

Timp total: 25 MIN| Servire: 2

INGREDIENTE:
- 1/4 cană făină de cocos
- 1 cană lapte de cocos
- 1/4 cană seminţe de in măcinate
- 1 lingurita extract de vanilie
- 1 lingurita scortisoara
- Îndulcitor lichid la alegere

TOppinguri
- 1 cană afine
- 2 linguri nuca de cocos ras
- 2 linguri seminte de dovleac

INSTRUCŢIUNI:
- Se încălzeşte laptele de cocos într-o cratiţă. Adaugati faina de cocos, scortisoara si semintele de in si amestecati.
- Adăugaţi extract de vanilie şi îndulcitor lichid la alegere. Gatiti 10 minute amestecand continuu. Se ia de pe foc si se lasa sa se raceasca 2-3 minute.
- Decoraţi cu afine proaspete, seminţe de dovleac şi nucă de cocos ras după gust.

NUTRIŢIE: Calorii 445 | Grăsimi totale 22,4 g | Carbohidraţi neţi: 16,4 g | Proteine 2,86 g)

6.GOLO Ouă Fierte cu Mascarpone și Bacon

Timp total: 15 MIN| Servire: 2

INGREDIENTE:
- 2 ouă mari
- 2 linguri de brânză Mascarpone
- 2 linguri de bacon maruntit
- 1 lingura unt de cocos
- Sare si piper dupa gust

INSTRUCŢIUNI:
- Se fierb ouăle tari; se pune apa la fiert la foc mediu-mare, apoi se acopera, se ia de pe foc si se lasa deoparte 10 minute.
- Spălaţi, curăţaţi şi tăiaţi ouăle fierte şi puneţi-le într-un castron mare.
- Adaugam untul si branza Mascarpone, amestecam bine. Ajustaţi sare şi piper după gust.
- Servi.

NUTRIŢIE: Calorii 328,34 | Grăsimi totale 22,84g | Carbohidraţi neţi: 0,19 g | Proteine 11,1 g | Fibre 0g)

7.Cheddar acoperit cu in și migdale GOLO

Timp total: 15 MIN| Servire: 2

INGREDIENTE:
- 4 oz brânză cheddar, 2 felii
- 1 ou mare
- 1 lingură făină de migdale sau migdale măcinate
- 1 lingura de seminte de in, macinate
- 1 linguriță de semințe de cânepă
- 1 lingura ulei de masline
- Sare si piper dupa gust

INSTRUCȚIUNI:
- Încinge o lingură de ulei de măsline într-o tigaie antiaderentă.
- Într-un castron, combinați făina de migdale, semințele de in măcinate și semințele de cânepă.
- Într-un castron separat, bate un ou împreună cu sare și piper.
- Ungeți feliile de cheddar mai întâi cu amestecul de ouă și apoi cu amestecul uscat. Prăjiți brânza timp de aproximativ 3 minute pe fiecare parte. Se serveste fierbinte.

NUTRIȚIE: Calorii 358,62 | Grăsimi totale 22,37g | Carbohidrați neți: 0,44 g | Proteine 17,91g | Fibre 2,83 g)

8.Toast franțuzesc de migdale GOLO

Timp total: 25 MIN| Porții: 6

INGREDIENTE:
- 4 ouă
- 1/4 cană lapte de cocos
- 2 linguri ulei de cocos, topit
- 6 felii de paine cu migdale
- 2 linguri de indulcitor la alegere (optional)
- 1/2 lingurita de scortisoara pudra
- 1 lingurita extract organic de vanilie
- Sare si piper (dupa gust)

INSTRUCȚIUNI:
- Bateți laptele de cocos, îndulcitorul la alegere, ouăle, extractul organic de vanilie, sare și scorțișoară.
- Înmuiați fiecare felie de pâine cu migdale (sau orice pâine vegană cu cânepă și semințe fără gluten) în amestec de ouă.
- Intr-o tigaie se incinge uleiul de cocos la foc mare; gătiți fiecare felie de pâine trei minute sau până când devine aurie. Transferați pâinea prăjită pe farfuria tapetată cu hârtie.
- Se serveste fierbinte.

NUTRIȚIE: Calorii 162,6 | Grăsimi totale 10,2 g | Carbohidrați neți: 2,4 g | Proteine 6,56g | Fibre 0,57 g)

9.Mic dejun burgeri cu carne de porc și salvie GOLO

Timp total: 15 MIN| Porții: 4

INGREDIENTE:
- 1 kg carne de porc măcinată
- 2 linguri salvie proaspata, tocata
- 1 lingurita praf de usturoi
- 1 lingurita piper cayenne
- Sare si piper dupa gust
- 2 linguri de îndulcitor granular la alegere
- Ulei de măsline pentru ungere
-

INSTRUCȚIUNI:
- Într-un castron mare, combinați toate ingredientele, cu excepția uleiului de măsline. Folosiți mâinile pentru a amesteca bine.
- Formați în 8 burgeri egali.
- Ungeți tigaia mare cu ulei de măsline la foc mediu.
- Adăugați burger și gătiți aproximativ 3 până la 4 minute pe fiecare parte.
- Serviți și savurați.

NUTRIȚIE: Calorii 302,21 | Grăsimi totale 22,17 g | Carbohidrați neți: 0,03 g | Proteine 19,29g | Fibre 0,44 g)

10.cu microunde GOLO "Muffins" de in

Timp total: 5 MIN| Servire: 1

INGREDIENTE:
- 4 linguri făină de in măcinată
- 1 ou
- 1 lingura de frisca grea pentru frisca
- 1 lingurita extract organic de vanilie
- 2 linguri de indulcitor la alegere
- 1 praf sare
- Unt de cocos
- Pudră de cacao (opțional)
-

INSTRUCȚIUNI:
- Amestecați toate ingredientele într-un castron potrivit pentru cuptorul cu microunde; se amestecă pentru a se combina bine.
- Pune deasupra un pic de unt de cocos. Puneți la microunde timp de un minut și jumătate.
- Dacă doriți, puteți adăuga un strop de pudră de cacao neîndulcită.
- Serviți și savurați.

NUTRIȚIE: Calorii 160,51 | Grăsimi totale 8,4 g | Carbohidrați neți: 0,86 g | Proteine 8,21 g | Fibre 1,36 g)

11.Clătite cu fructe de cocos

Timp total: 10 MIN| Servire: 2

INGREDIENTE:
- 1 lingura de unt, topit
- 2 oua
- 5 linguri de lapte gras
- 1 lingura xilitol
- ½ linguriță sare
- 2 linguri faina de cocos
- 1 lingura de faina de migdale
- ½ linguriță praf de copt
- O mână de afine sau căpșuni (opțional)

INSTRUCȚIUNI:
- Într-un castron, bateți ouăle cu laptele, sarea, xilitolul și untul topit (temperatura camerei)
- Adaugati in amestec nuca de cocos si faina de migdale, impreuna cu praful de copt. Amesteca bine.
- Încinge o tigaie antiaderentă la foc mediu și scoate 3 linguri de aluat pentru a face clătite.
- Întoarceți clătitele când încep să se formeze bule și gătiți până se rumenesc.
- Serviți cu ½ cană de fructe de pădure în lateral.

NUTRIȚIE: Calorii 194,51 | Grăsimi totale 13,4 g | Carbohidrați neți: 6,86 g | Proteine 31 g | Fibre: 1,36 g)

12.Clătite de hrișcă la cuptor cu alune

Timp total: 30 MIN| Servire: 2

INGREDIENTE:
- 1/2 cană făină de hrișcă
- 3 ouă
- 1/2 cana crema de cocos
- 1 boabe de vanilie (numai seminte)
- 1 praf de sare
- 3 linguri ulei de măsline
- Îndulcitor lichid la alegere
- Alune de padure

INSTRUCȚIUNI:
- Preîncălziți cuptorul la 400 de grade F.
- Ungeți o tavă ovală de copt.
- Într-un castron mare, adăugați ouăle, laptele, făina, vanilia și sarea. Se amestecă ingredientele până când amestecul devine omogen.
- Turnați uniform aluatul în tava ovală pregătită. Se coace 15-20 de minute.
- Scoateți clătita din tigaie și serviți cu îndulcitor pe gustul dvs. și alune de pădure.

NUTRIȚIE: Calorii 390,07 | Grăsimi totale 22,66 g | Carbohidrați neți: 3,16 g | Proteine 14,4g | fibre 3g)

13.Dovlecel copt cu parmezan-migdale

Timp total: 40 MIN| Porții: 6

INGREDIENTE:
- 2 dovlecei, tăiați subțiri la rondele groase de aproximativ 1 inch
- 3 ouă mari, bătute
- 1 cană făină de migdale
- 1 cană migdale, măcinate
- 1 cană parmezan ras
- 1 lingurita oregano uscat
- Sare si piper

INSTRUCȚIUNI:
- Preîncălziți cuptorul la 400 de grade F. Tapetați o tavă mare de copt cu hârtie de copt.
- Spălați, curățați și feliați dovlecelul. Se sare din toate părțile și se lasă să se usuce pe un prosop de hârtie. Pus deoparte.
- Într-o farfurie, combinați migdalele măcinate, parmezanul, oregano și asezonați cu sare și piper după gust și oregano; pus deoparte.
- Într-o altă farfurie puțin adâncă adăugați făina de migdale.
- Intr-o a treia farfurie se bat ouale, cu sare si piper.
- Începeți să dragați rondelele de dovlecel în făină, scufundați-le în ouă, apoi dragați în amestecul de migdale, apăsând pentru a acoperi. Puneți feliile de dovlecel pe tava de copt pregătită.
- Coaceți timp de 20 până la 30 de minute sau până când rondelele de dovlecel sunt aurii și crocante.
- Se serveste fierbinte.

NUTRIȚIE: Calorii 288,89 | Grăsimi totale 17,49g | Carbohidrați neți: 16,36 g | Proteine 12,12g | Fibre: 3,28 g)

14.Ouă cu ardei pestriț și dovlecel

Timp total: 25 MIN| Porţii: 4

INGREDIENTE:

- 6 ouă
- 2 dovlecei, tăiaţi cubuleţe
- 1 ceapa primavara, tocata
- 1 ardei verde, taiat marunt
- 1 ardei galben, taiat marunt
- 1 ardei rosu, taiat marunt
- 3 linguri ulei de cocos (topit)
- Sare si piper negru proaspat macinat dupa gust

INSTRUCŢIUNI:

- Într-o tigaie antiaderentă, încălziţi 2 linguri de ulei de măsline într-o tigaie şi căliţi ceapa timp de 5 minute.
- Adăugaţi ardeii şi prăjiţi încă 2-3 minute.
- Apoi, adaugă dovlecelul şi mai căleşte încă 3 minute. Se ia de pe foc si se da deoparte.
- Intr-un castron mediu bate ouale cu sare.
- Se amestecă legumele în ouă.
- Încălziţi uleiul de măsline rămas în tigaie şi turnaţi amestecul de ouă şi legume.
- Gatiti 2-3 minute, amestecand continuu.
- Se serveste fierbinte.

NUTRIŢIE: Calorii 165,31 | Grăsimi totale 7,94 g | Carbohidraţi neţi: 6,55 g | Proteine 12,04g | Fibre 3,26 g)

15.Omletă cu varză, ardei și feta mărunțită

Timp total: 3 HR 10 MIN| Porții: 4

INGREDIENTE:
- 8 oua, bine batute
- 1 cană ardei roșu, tăiat cubulețe
- 1/4 cana ceapa verde (tocata fin)
- 1/2 cană feta mărunțită
- 3/4 cana varza varza, tocata
- 2 linguri ulei de masline
- 1/2 lingurita condimente italiene
- Sare si piper proaspat macinat, dupa gust
- Smântână de brânză sau brânză de vaci (opțional)

INSTRUCȚIUNI:
- Într-o tigaie mare, încălziți uleiul la foc mediu-mare. Adauga varza tocata si gateste aproximativ 3-4 minute.
- Spălați și tocați ardeii roșii. Taiati ceapa verde si maruntiti feta. Ungeți partea inferioară a Slow Cooker cu ulei de măsline. Adăugați ardeiul roșu tocat și ceapa verde feliată în Slow Cooker cu kale.
- Într-un castron mic, bateți ouăle și turnați peste alte ingrediente în Slow Cooker. Se amestecă bine și se adaugă condimente italiene. Ajustați sare și piper după gust.
- Gatiti la LOW timp de 2 - 3 ore.

NUTRIȚIE: Calorii 279,34 | Grăsimi totale 23,87g | Carbohidrați neți: 1,16 g | Proteine 11,78g | Fibre: 1,01 g)

16.Chifle de migdale GOLO

41

Timp total: 20 MIN| Servire: 3

INGREDIENTE:
- 3 cani de faina de migdale
- 5 linguri de unt, nesarat
- 2 oua
- 1,5 linguriță îndulcitor la alegere (opțional)
- 1,5 linguriță praf de copt

INSTRUCȚIUNI:
- Preîncălziți cuptorul la 350F.
- Combinați ingredientele uscate într-un bol.
- Într-un castron separat, bateți ouăle.
- Topiți untul, adăugați la amestec și amestecați bine.
- Împărțiți amestecul în mod egal în 6 părți și puneți-l într-o tavă unsă cu unt.
- Se coace 12-15 minute.
- Se lasa sa se raceasca pe un gratar.

NUTRIȚIE: Calorii 225,58| Grăsimi totale 22,43 g | Carbohidrați neți: 1,22 g | Proteine 4,45 g | Fibre: 0,2 g)

17.Mini Omlete cu șuncă Briose

Timp total: 25 MIN| Porții: 18)

INGREDIENTE:
- 11 oz Friptură de șuncă
- 10 ceapa verde Ceapa verde
- 12 ouă
- 1/2 cană de smântână groasă
- 9 felii de ciuperci
- 9 felii de brânză cheddar
- Ulei de cocos pentru ungere
- Sare, piper, praf de ceapa, pudra de usturoi dupa gust

INSTRUCȚIUNI:
- Preîncălziți cuptorul la 350F. Unge tava pentru briose cu ulei de cocos.
- Taiati cubulete friptura de sunca, feliati ceapa verde si spalati ciupercile.
- Într-un castron adânc, bate ouăle. Adăugați smântâna groasă și condimentele împreună cu cuburi de șuncă și ceapa verde feliată.
- Ajustați sare, piper și condimente după gust.
- Umpleți fiecare cavitate a unei forme de brioșe cu amestecul de ouă.
- Se coace la cuptor pentru 4-5 minute.
- Scoatem din cuptor si adaugam deasupra ciupercile
- Fierbeți încă 8-9 minute sau până când ouăle sunt în mare parte întărite.
- Adăugați brânză Cheddar și gătiți încă 1 minut.
- Se serveste fierbinte.

NUTRIȚIE: Calorii 153,55| Grăsimi totale 11,1 g | Carbohidrați neți: 0,59 g | Proteine 11,69g | Fibre: 0,32 g)

18.Nonpareil Bacon Waffles

Timp total: 15 MIN| Servire: 2

INGREDIENTE:
- 4 felii de bacon
- 2 oua
- 3 cani de faina de migdale
- 5 linguri de unt topit sau ghee
- 1,5 linguriță praf de copt
- 1,5 linguriță îndulcitor la alegere

INSTRUCȚIUNI:
- Puneți untul la microunde și lăsați deoparte.
- Într-o tigaie, gătiți baconul până devine crocant.
- Mai întâi, amestecați mai întâi ingredientele uscate (făină de migdale, praf de copt și îndulcitor la alegere)
- Adăugați cele două ouă și amestecați bine. Adăugați untul topit și amestecați.
- Preîncălziți aparatul de vafe.
- Când este preîncălzit, deschideți-l și umpleți cu aluat și puneți deasupra 2 felii de slănină.
- Închideți și răsturnați aparatul de vafe, când emite un bip, răsturnați-l și scoateți vafa cu o furculiță.
- Se serveste fierbinte.

NUTRIȚIE: Calorii 323,24 | Grăsimi totale 24,97 g | Carbohidrați neți: 1,89 g | Proteine 8,35g | Fibre: 2,65 g)

19.Mousse de mic dejun cu Lămâie Cheesecake

Timp total: 10 MIN| Servire: 2

INGREDIENTE:
- 3 linguri crema de branza
- 1 lingura suc de lamaie
- 1,69 oz smântână groasă (căutați-le pe cele cu zero carbohidrați)
- 3,38 oz iaurt
- 1 lingura Xilitol
- 1/8 lingurita sare
- 2 linguri de pudră de proteine din zer

INSTRUCȚIUNI:
- Amestecați crema de brânză și sucul de lămâie într-un castron până la omogenizare.
- Adăugați smântână groasă și amestecați până se bate. Adăugați ușor iaurt.
- Gustați și ajustați îndulcitorul dacă este necesar.
- Serviți cu $\frac{1}{4}$ de cană de coulis de fructe de pădure.

NUTRIȚIE: Calorii 386 | Grăsimi totale 19,8g | Carbohidrați neți: 13,9 g | Proteine 34,4 g | Fibre: 0 g)

20.Plăcintă pentru micul dejun cu verdeață cremoasă

Timp total: 45 MIN| Porții: 4

INGREDIENTE:
- 1 lb. cârnat
- 8 căni de spanac baby
- 3 oua bio
- 1 cană de mozzarella, mărunțită
- 2 căni de brânză ricotta
- $\frac{1}{4}$ cană brânză parmezan, mărunțită
- 1 lingura unt organic
- 1 catel de usturoi, tocat
- 1 ceapa mica, tocata
- 1/8 lingurita nucsoara, macinata
- Sare si piper

INSTRUCȚIUNI:
- Setați cuptorul la 350 F.
- Se încălzește untul într-o tigaie la foc mediu. Se caleste ceapa si usturoiul timp de 3-4 minute.
- Adăugați puiul de spanac în tigaie și gătiți încă 5 minute sau până când frunzele se ofilesc.
- Asezonați cu nucșoară, sare și piper. Amestecați și opriți focul. Pus deoparte.
- Bateți ouăle într-un castron mare și adăugați toate brânzeturile. Amesteca bine.
- Adăugați verdeața fiartă în vasul cu ouăle și amestecați.
- Între timp, puneți cârnații într-o tavă de copt, presați și turnați-l într-o crustă de plăcintă.
- Turnați amestecul de ouă și spanac în crusta de plăcintă și puneți-l la cuptor pentru 35 de minute sau până când ouăle sunt tari. Nu uitați să puneți o foaie de copt sub

vasul de copt, astfel încât să nu ajungeți cu un cuptor dezordonat.

NUTRIȚIE: Calorii 584 | Grăsimi totale 42,7 g | Carbohidrați neți: 9,4 g | Proteine 40,2g | Fibre 1,4 g)

21.Salam de biscuiti

Timp total: 35 MIN| Porții: 4

INGREDIENTE:

- $\frac{1}{2}$ cană cremă de brânză moale
- 1 ou organic
- 2 catei de usturoi, tocati
- 1 lingura de arpagic, tocat
- Sarat la gust
- $\frac{1}{2}$ linguriță de condimente italiene
- 1 cană brânză cheddar ascuțită, mărunțită
- $\frac{1}{4}$ cană smântână groasă
- $1\frac{1}{2}$ cani de faina de migdale
- $\frac{1}{4}$ cană apă
- $\frac{1}{2}$ lb. cârnați măcinați gătiți
-

INSTRUCȚIUNI:

- Setați cuptorul la 350 F.
- Într-un castron, combinați împreună și bateți crema de brânză moale și ouăle folosind un mixer manual. Adăugați usturoiul tocat, arpagicul, sarea și condimentele italiene în bol și amestecați cu grijă.
- De asemenea, adăugați cheddar, smântână groasă, migdale, făină și apă în amestec. Și combinați bine.
- Luați cârnatul măcinat fiert și adăugați-l treptat în amestecul de cremă de brânză.
- Pregătiți o tavă pentru brioșe ungând-o cu ulei sau unt și apoi umpleți cupele pentru brioșe (aproximativ 8) cu amestecul pregătit.
- Se da la cuptor pentru 25 de minute.
- Lăsați biscuiții să se răcească înainte de a scoate din tigaie și de a servi.

NUTRIȚIE: Calorii 437| Grăsimi totale 37,7 g | Carbohidrați neți: 2,3 g | Proteine 21,9 g)

22.All-in Frittatas

Timp total: 35 MIN| Porţii: 6

INGREDIENTE:

- $\frac{1}{2}$ cană cârnaţi măcinaţi gătiţi
- 2 căni de ardei gras galben, tăiat cubuleţe
- 10 ouă organice
- 2 albusuri
- $\frac{1}{2}$ cană lapte
- $\frac{1}{2}$ linguriţă sare
- $\frac{1}{2}$ lingurita de unt
- Piper dupa gust
- $\frac{1}{2}$ cană de brânză pepper jack, măruntită
- Ceapa verde, tocata pentru decor

INSTRUCŢIUNI:

- Setaţi cuptorul la 350 F.
- Topiţi untul într-o tigaie antiaderentă încălzită la foc mediu-înalt.
- Adăugaţi ardeiul gras în tigaia încinsă şi gătiţi până se înmoaie. Pus deoparte
- Într-un castron, amestecaţi ouăle întregi, albuşurile şi laptele.
- Împărţiţi cârnaţii măcinaţi fierţi în 12 forme de brioşe şi apoi acoperiţi cu ardeiul gras copţi.
- Turnaţi uniform amestecul de ouă în forme şi asezonaţi cu sare şi piper.
- Se presară deasupra cantităţi generoase de brânză pepper jack şi apoi se amestecă cu grijă ingredientele în forme cu ajutorul unei furculiţe.
- Se da la cuptor pentru 25 de minute sau până când oul este fiert.

- Deasupra se orneaza cu ceapa verde tocata.

NUTRIȚIE: Calorii 152| Grăsimi totale 9,4 g | Carbohidrați neți: 4,2 g | Proteine 13,7g | Fibre: 0,8 g)

23.Frittata de masline si avocado

Timp total: 15 MIN| Servire: 2

INGREDIENTE:
- 4 ouă bio tăiate felii groase
- 1 avocado copt
- 10 măsline, fără sâmburi
- ½ cană brânză brie, feliată subțire
- 1 lingurita condimente italiene
- 2 linguri ghee
- 2 linguri ulei de masline
- Sarat la gust
-

INSTRUCȚIUNI:
- Într-un castron mare, amestecați ouăle, măslinele, condimentele italiene și sarea. Bateți până devine spumos. Pus deoparte.
- Într-o tigaie antiaderentă, adăugați ghee și încălziți la foc mediu. Adăugați feliile de avocado în tigaia încinsă și prăjiți până când avocado devine maro auriu. Pus deoparte.
- Folosind aceeași tigaie, creșteți focul la mare și turnați amestecul de ouă.
- Adăugați brânza brie în tigaie, acoperiți și gătiți timp de 3 minute.
- Întoarceți frittata și gătiți încă 2-3 minute.
- Serviți frittata cu avocado prăjit deasupra.

NUTRIȚIE: Calorii 690 | Grăsimi totale 65,7 g | Carbohidrați neți: 9,7 g | Proteine 20,5g | Fibre: 6,7 g)

24.Vafe cu conopidă cu brânză

Timp total: 15 MIN| Servire: 2

INGREDIENTE:

- $\frac{3}{4}$ cană buchețe de conopidă
- 2 oua bio
- $\frac{1}{4}$ cană cheddar
- $\frac{1}{4}$ cană de mozzarella
- 1 lingura arpagic
- $\frac{1}{4}$ lingurita praf de ceapa
- $\frac{1}{4}$ linguriță de usturoi pudră
- Sare si piper dupa gust
-

INSTRUCȚIUNI:

- Puneți conopida, cheddarul și mozzarella într-un robot de bucătărie și amestecați până când toate ingredientele sunt tocate și amestecate.
- Adăugați ouăle și restul ingredientelor în robotul de bucătărie și amestecați. Asigurați-vă că ingredientele sunt bine combinate.
- Încălziți aparatul de vafe și turnați amestecul în el pentru a găti conform instrucțiunilor produsului.
- Serviți vafele calde cu cremă de brânză și bacon în lateral.

NUTRIȚIE: Calorii 140 | Grăsimi totale 7,9 g | Carbohidrați neți: 3,7 g | Proteine 13,9g | Fibre: 1 g)

25.Ouă și friptură Mic dejun

Timp total: 15 MIN| Porții: 5

INGREDIENTE:

- 2 lbs. umăr de mandră de vită
- 7 ouă organice
- 1 ceapa mica, tocata
- 1 ardei gras, tocat
- $\frac{1}{4}$ cană brânză cheddar, mărunțită
- $\frac{1}{2}$ cană smântână groasă
- $\frac{1}{2}$ linguriță pudră de usturoi
- Sare si piper dupa gust
- $\frac{1}{2}$ lingurita de unt

INSTRUCȚIUNI:

- Se adauga untul intr-o tigaie si se topeste la foc mediu.
- Adăugați ceapa și ardeiul gras și gătiți timp de 4-5 minute. Pus deoparte.
- Puneți aceeași tigaie înapoi pe aragaz și creșteți focul la mare. Adăugați fripturile în tigaie și gătiți timp de 6 minute pe fiecare parte. Pune fripturile deoparte să se odihnească.
- Într-un castron mare, amestecați ouăle, smântâna groasă, pudra de usturoi, sarea și piperul.
- Gătiți amestecul de ouă într-o tigaie antiaderentă fierbinte și amestecați din când în când.
- Transferați ouăle fierte într-o farfurie de servire și serviți cu fripturile tăiate în lateral.

NUTRIȚIE: Calorii 506 | Grăsimi totale 51g | Carbohidrați neți: 4g | Proteine 45g | Fibre: 1 g)

26.GOLO Biscuit pentru Mic dejun

Timp total: 15 MIN| Servire: 2

INGREDIENTE:
- 2 oua mari, (separati albusul si galbenusul unui ou)
- $\frac{1}{4}$ cană cremă de brânză moale
- 2 linguri de parmezan, ras
- $\frac{1}{2}$ linguriță coji de psyllium
- $\frac{1}{2}$ linguriță oțet de mere organic
- Un praf de praf de copt
- Un praf de usturoi pudră
- Sare si piper dupa gust
- 1 linguriță ulei de măsline, plus $\frac{1}{2}$ linguriță. pentru gatit
- 1 felie de brânză americană tăiată în jumătate

INSTRUCȚIUNI:
- Într-un castron, amestecați albușul dintr-un ou, cremă de brânză, parmezan, coajă de psyllium, cidru de mere, praf de copt și praf de usturoi. Combinați bine.
- Ungeți 2 ramekine cu ulei de măsline și turnați aluatul pregătit. Puneți la cuptorul cu microunde pentru 35 de secunde la maxim.
- Se încălzește uleiul rămas într-o tigaie antiaderentă și se adaugă ouăle rămase și se prăjesc până la temperatură medie.
- Peste biscuitii fierti se aseaza feliile de branza si ouale prajite si se servesc imediat.

NUTRIȚIE: Calorii 68 | Grăsimi totale 9,9 g | Carbohidrați neți: 4,3 g | Proteine 8,3 g | Fibre: 2,4 g)

27.Bacon Hash și Ouă

Timp total: 15 MIN| Servire: 2

INGREDIENTE:
- 4 oua bio
- 6 fasii de bacon, fierte
- 1 ceapa, tocata
- 1 ardei gras verde, tocat
- 1 lingura jalapenos, cubulete
- 1 lingura ghee
-

INSTRUCȚIUNI:
- Se încălzește ghee-ul într-o tigaie de fontă la foc mediu. Adăugați ceapa tocată, ardeiul gras și jalapenos și căleți până când ceapa devine translucidă. Pus deoparte.
- Tăiați slănina fiartă și amestecați-le cu legumele fierte.
- Puneți inelele de ouă într-o tigaie cu ulei și apoi puneți amestecul de legume și bacon în inele.
- Gatiti pana cand hashul este aproape crocant. Pus deoparte.
- Prăjiți ouăle într-o tigaie și serviți deasupra hașului de bacon.

NUTRIȚIE: Calorii 366 | Grasimi totale 24g | Carbohidrați neți: 11 g | Proteine 23g | Fibre: 2 g)

28. Vafe cu bacon

Timp total: 15 MIN| Servire: 2

INGREDIENTE:

- 4 fasii de bacon, fierte crocante tocate
- 2 oua bio
- 5 linguri de unt organic, topit
- $\frac{3}{4}$ cană făină de migdale
- 1 $\frac{1}{2}$ linguriță stevia
- 1 $\frac{1}{2}$ linguriță praf de copt
- Frisca (ca topping)

INSTRUCȚIUNI:

- Într-un castron, combinați făina, stevia și praful de copt.
- Spargeți ouăle în bol și amestecați bine.
- Se toarnă untul topit și se amestecă din nou. Pus deoparte.
- Încingeți aparatul de vafe și setați-l pe mediu.
- Ungeți aparatul de vafe înainte de a turna aluatul.
- Presărați chipsurile de bacon deasupra și apoi gătiți conform instrucțiunilor echipamentului.
- Se serveste cu frisca deasupra.

NUTRIȚIE: Calorii 648 | Grăsimi totale 61g | Carbohidrați neți: 10g | Proteine 21g | Fibre: 5 g)

29.Omletă cu suncă și brânză

Timp total: 20 MIN| Porții: 4

INGREDIENTE:

- 5,29 oz șuncă, tăiată cubulețe
- 6 oua bio
- $\frac{1}{2}$ cană smântână groasă
- $\frac{1}{4}$ lingurita piper
- $\frac{1}{4}$ lingurita sare
- $\frac{1}{4}$ linguriță de usturoi pudră
- $\frac{1}{2}$ cană de roșii tăiate cubulețe
- 6 cepe verde, tocate
- 4 felii de brânză cheddar

INSTRUCȚIUNI:

- Setați cuptorul la 350 F.
- Într-un castron mare, combinați ouăle, smântâna groasă și condimentați cu sare, piper și pudră de usturoi. Se adauga sunca taiata cubulete si rosiile, se amesteca bine.
- Turnați amestecul de ouă într-o tavă unsă pentru brioșe.
- Se da la cuptor la fiert timp de 5 minute.
- Scoatem tava din cuptor si apoi adaugam deasupra ceapa verde.
- Se da la cuptor pentru a mai fierbe 8 minute.
- Scoateți din nou din cuptor și puneți deasupra feliile de brânză și coaceți din nou încă un minut.
- Serviți cald.

NUTRIȚIE: Calorii 257 | Grăsimi totale 18g | Carbohidrați neți: 4g | Proteine 17g | Fibre: 1 g)

30.Chifoane Umplute cu Ouă

Timp total: 60 MIN| Porţii: 4

INGREDIENTE:

- 4 oua bio, fierte tari
- 12 oz. cârnaţi de porc măcinat
- 8 felii de bacon

INSTRUCŢIUNI:

- Împărţiţi cârnaţii măcinaţi în patru şi formaţi chiftele.
- Aşezaţi oul fiert tare în mijlocul chiflelor (câte una) şi acoperiţi oul cu carnea de porc măcinată.
- Pune la frigider pentru cel puţin 30 de minute.
- Setaţi cuptorul la 450 F.
- Luaţi 2 felii de slănină şi înfăşuraţi chiftelele şi asiguraţi-le cu scobitori.
- Aşezaţi-l pe o foaie de copt şi coaceţi la cuptor pentru 20 de minute sau până când slănina devine crocantă.
- Serviţi imediat.

NUTRIŢIE: Calorii 351 | Grăsimi totale 28,5g | Carbohidraţi neţi: 0,3 g | Proteine 22,1 g)

31.Quiche cu cheeseburger

Timp total: 40 MIN| Porții: 8)

INGREDIENTE:

- 4 oua bio
- $\frac{1}{4}$ lb. slănină
- $\frac{1}{2}$ lb. Carne de vită
- 1 ceapa, tocata
- $\frac{1}{2}$ cană maioneză
- $\frac{1}{2}$ cană smântână groasă
- 2 căni de brânză cheddar ascuțită, mărunțită
- Sare si piper dupa gust

INSTRUCȚIUNI:

- Setați cuptorul la 350 F.
- Gatiti baconul pana devine crocant si dati deoparte.
- Folosind aceeași tigaie, căliți ceapa, adăugați carne de vită tocată și gătiți până când este gata.
- Între timp, combinați ouăle, maioneza și smântâna groasă într-un castron. Asezonați cu sare și piper; amesteca bine.
- Toaca baconul fiert si adaugam in bol.
- De asemenea, adaugă carnea de vită tocată fiartă și amestecă bine.
- Adăugați jumătate din brânză la amestec și amestecați din nou.
- Turnați amestecul de carne și ouă într-o tavă de copt într-o tavă de copt unsă, deasupra cu restul de brânză și puneți-l la cuptor pentru 30 de minute sau până când ouăle sunt fierte.
- Se lasa sa se raceasca cel putin 10 minute inainte de servire.

NUTRIȚIE: Calorii 532 | Grasimi totale 44g | Carbohidrați neți: 5g | proteine 27g)

32.Confuză de ouă fierbinte și picant

Timp total: 20 MIN| Porții: 4

INGREDIENTE:
- 1 ardei gras verde, tocat
- 1 ceapa, tocata
- 1 cana sunca fiarta, taiata cubulete
- 1 cană de brânză pepper jack, mărunțită
- 8 oua bio
- ½ linguriță pudră de chili
- 1 lingurita sos Sriracha
- ¼ cană lapte de cocos
- Sare si piper dupa gust
- 2 linguri ghee

INSTRUCȚIUNI:
- Se încălzește ghee-ul într-o tigaie antiaderentă la foc mediu.
- Adaugati ceapa si ardeiul gras in tigaie si caliti 5 minute.
- Se condimentează cu sare și piper și se adaugă șunca tăiată cubulețe în tigaie.
- Între timp, într-un castron mare, amestecați ouăle, pudra de chili, sosul Sriracha și laptele de cocos.
- Adăugați treptat brânza mărunțită în vasul cu ouă. Pus deoparte.
- Reduceți focul la mic și apoi turnați amestecul de ouă în tigaia cu ardeiul gras și gătiți timp de 2 minute.
- Întoarceți și apoi gătiți din nou până când ouăle sunt gata.
- Servi.

NUTRIȚIE: Calorii 545 | Grăsimi totale 53,6 g | Carbohidrați neți: 10g | proteine 35 g)

33.Scramble prietenos cu veganii

Timp total: 30 MIN| Servire: 2

INGREDIENTE:

- 2 linguri ulei de masline
- 2 catei de usturoi, tocati
- 1 ceapa, tocata
- $\frac{1}{2}$ lb. tofu ferm, îndepărtați excesul de lichid și tăiați-l în cuburi
- $\frac{1}{4}$ linguriță de scorțișoară, măcinată
- 1 lingura pudra de chili
- Sare si piper dupa gust
- 1 lingurita otet de mere organic
- 2 linguri coriandru proaspăt, tocat

INSTRUCȚIUNI:

- Încinge uleiul de măsline într-o tigaie antiaderentă și căliți ceapa și usturoiul timp de 3-5 minute.
- Adăugați tofu în tigaie și prăbușiți.
- Se amestecă tofu cu ceapa și usturoiul și se condimentează cu scorțișoară, pudră de chili, sare și piper.
- Gatiti 15-20 de minute, sau pana cand tofu este gata.
- Opriți focul și adăugați imediat cidru de mere.
- Pune amestecul de tofu în boluri de servire și ornează cu coriandru tocat.

NUTRIȚIE: Calorii 239 | Grăsimi totale 19,5 g | Carbohidrați neți: 10,4 g | Proteine 10,6 g | Fibre 3,7 g)

34.Budincă de pâine GOLO

Timp total: 20 MIN| Servire: 2

INGREDIENTE:

- 4 felii de pâine Protein Loaded, tăiate în bucăți mici
- 2 oua bio
- 2 linguri smântână groasă
- 2 linguri stevia
- 1 lingurita scortisoara, macinata
- 1 lingura unt organic
-

INSTRUCȚIUNI:

- Setați cuptorul la 350 F.
- Intr-un castron batem ouale cu smantana groasa si stevia.
- Puneți pâinea tocată într-un vas de cuptor și turnați peste amestecul de ouă. Stropiți cu scorțișoară.
- Coaceți la cuptor timp de 15 minute sau până când budinca s-a întărit.
- Se lasă să se răcească înainte de a servi cald.

NUTRIȚIE: Calorii 536| Grasimi totale 49g | Carbohidrați neți: 8g | proteine 18g)

35.Cupe pentru brioșe cu slănină și unt de arahide

Timp total: 25 MIN| Porții: 4

INGREDIENTE:
- 2 linguri de unt de arahide complet natural
- 2 fasii de bacon, fierte si tocate
- 1 cană făină de migdale
- 1 lingurita praf de copt
- 1 ou organic
- 2 linguri smântână groasă
- 1 lingurita extract de vanilie

INSTRUCȚIUNI:
- Setați cuptorul la 350 F.
- Într-un castron, amestecați făina de migdale și praful de copt.
- Bateți ușor oul și adăugați la ingredientele uscate.
- De asemenea, adaugă smântâna groasă, extractul de vanilie, baconul tocat și untul de arahide complet natural. Amesteca bine.
- Se toarnă aluatul în forme de brioșe unse cu unt și se da la cuptor pentru 15 minute sau până când scobitoarea iese curată după ce a fost introdusă în brioșe.
- Serviți cald.

NUTRIȚIE: Calorii 270 | Grasimi totale 23g | Carbohidrați neți: 8g | proteine 10 g)

36.Crep dulce, sărat și sărat

Timp total: 20 MIN| Servire: 2

INGREDIENTE:

- 3 oua bio
- ½ cană cremă de brânză moale
- ½ lingurita stevia
- ½ linguriță de scorțișoară pudră
- 4 felii de sunca
- 4 felii de curcan delici
- 1 cană brânză elvețiană, rasă
- 2 linguri de unt organic (împărțit în 2)

INSTRUCȚIUNI:

- Puneți primele patru ingrediente într-un robot de bucătărie și pulsați până obțineți un aluat bun. Se lasa deoparte si se lasa sa se odihneasca 5 minute.
- Topiți untul într-o tigaie antiaderentă la foc mediu-înalt și puneți o lingură grămadă de aluat în tigaie. Mutați tigaia dintr-o parte în alta pentru a crea o crep. Gatiti fiecare parte timp de 2 minute.
- Asamblați crepa acoperind o parte cu 1 felie de șuncă, 1 felie de curcan delicat și stropiți cu brânză elvețiană.
- Puneți o altă crep deasupra și procedați la fel.
- Folosind aceeași tigaie, topiți untul rămas și apoi puneți în ea creponul stivuit. Acoperiți și lăsați să fiarbă 2 minute înainte de a răsturna crepea. Ai terminat de gătit când brânza începe să se topească.
- Serviți cald.

NUTRIȚIE: Calorii 825 | Grasimi totale 67g | Carbohidrați neți: 6g | proteine 57g)

37.Ouă Benedict

Timp total: 20 MIN| Servire: 2

INGREDIENTE:

- 8 oua bio
- 2 galbenusuri de ou
- 8 fasii de bacon, fierte
- 2 cesti baby spanac
- 1 suc de lamaie
- 1 lingura de apa
- 1 cană unt topit
- $\frac{1}{4}$ lingurita sare
- $\frac{1}{2}$ lingurita piper
- $\frac{1}{2}$ linguriță sos Worcestershire

INSTRUCȚIUNI:

- Pregătiți un cazan dublu și foc mediu-mic. În oala de sus, combinați gălbenușurile, sucul de lămâie, sosul Worcestershire, piperul și o lingură de apă. Amestecați bine și lăsați sosul deoparte.
- Adăugați treptat untul topit în oală.
- Între timp, spargeți un ou într-o cană și aruncați în cuptorul cu microunde timp de un minut. Faceți același lucru cu restul celor 7 ouă.
- Puneți puiul de spanac pe o farfurie de servire și acoperiți cu baconul canadian tocat, ouăle la microunde și stropiți cu sos.

NUTRIȚIE: Calorii 252 | Grăsimi totale 53,6 g | Carbohidrați neți: 6,4 g | Proteine 15 g | Fibre: 1,2 g)

38.Pâine de migdale

Timp total: 25 MIN| Porții: 8)

INGREDIENTE:

- 2 oua
- 1 cană unt de migdale, nesărat
- 3/4 cană făină de migdale
- 1 lingura scortisoara
- 1 lingurita extract pur de vanilie
- 1/4 lingurita bicarbonat de sodiu
- 2 linguri Stevia lichida
- 1/2 lingurita sare de mare

INSTRUCȚIUNI:

- Preîncălziți cuptorul la 340 de grade F.
- Într-un castron adânc, bateți ouăle, untul de migdale, mierea, Stevia și vanilia. Adăugați sare, scorțișoară și bicarbonat de sodiu. Se amestecă până când toate ingredientele sunt bine combinate.
- Se toarnă aluatul într-o tavă unsă cu unt. Se coace 12-15 minute.
- Odată gata, se lasă să se răcească pe un grătar. Tăiați și serviți.

NUTRIȚIE: Calorii 208,6 | Grăsimi totale 16,7 g | Carbohidrați neți: 7,64 g | Proteine 15g| Fibre 3,63 g)

GUSTARE CARE

39.Mingi Fat Bomb în stil grecesc

Timp total: 15 MIN| Porții: 5

INGREDIENTE:

- $\frac{1}{2}$ cană cremă de brânză înmuiată
- $\frac{1}{4}$ cană unt înmuiat
- 3 linguri ierburi proaspăt tocate sau uscate (orice combinație de busuioc, cimbru, oregano și/sau pătrunjel funcționează excelent)
- 4 bucati rosii uscate la soare, scurse
- 4 măsline Kalamata, fără sâmburi și tocate
- 2 catei de usturoi, macinati
- Piper negru proaspăt măcinat
- $\frac{1}{4}$ linguriță sare de mare
- 5 linguri de parmezan, ras fin

INSTRUCȚIUNI:

- Se zdrobește untul și crema de brânză împreună cu o furculiță și se amestecă până se omogenizează bine. Se amestecă roșiile uscate tocate și măslinele Kalamata tocate.
- Adăugați ierburile proaspăt tocate (sau uscate), usturoiul zdrobit și asezonați cu piper și sare.
- Se amestecă bine și se pune la frigider pentru 20-30 de minute.
- Scoateți amestecul de brânză din frigider și faceți 5 bile.
- Puneți parmezanul ras într-un vas.
- Ungeți fiecare bila în parmezan ras și puneți-o pe o farfurie.
- Serviți imediat sau păstrați la frigider într-un recipient ermetic.

NUTRIȚIE: Calorii 195 | Grăsimi totale 19,1 g | Carbohidrați neți: 2,7 g | Proteine 4,1 g | Fibre 0,6 g)

40.Muscături de biscuiți cu suncă și ceapă

Timp total: 25 MIN| Porții: 12

INGREDIENTE:
- 1 ½ cană de făină de migdale
- 1/3 cană făină de in
- 1 lingura pulbere de coaja de Psyllium
- 1 lingura praf de ceapa
- 1 ou mare
- 4 felii de slănină, fierte până devin crocante și mărunțite
- ½ linguriță sare de mare
- Piper proaspăt măcinat

INSTRUCȚIUNI:
- Puneți toate ingredientele uscate într-un bol și amestecați până se omogenizează bine.
- Adăugați oul și amestecați bine cu mâinile.
- Adauga baconul maruntit in aluat. Procesați bine folosind mâinile.
- Cu mâna, faceți 12 bile egale și așezați-le pe o tavă de copt tapetată cu hârtie de copt.
- Folosiți o furculiță pentru a presa și a aplatiza aluatul.
- Se da la cuptor si se coace 10-12 minute.
- Când sunt gata, prăjiturile ar trebui să fie aurii. Scoateți din cuptor și răciți pe un grătar.
- Depozitați într-un recipient.
- Serviți și savurați.

NUTRIȚIE: Calorii 151 | Grăsimi totale 12,3 g | Carbohidrați neți: 6,1 g | Proteine 7,3 g | Fibre: 3,9 g)

41. Chipsuri simple de parmezan

Timp total: 25 MIN| Porții: 4

INGREDIENTE:

- 1 cană parmezan
- 4 linguri faina de cocos
- 2 linguri Rozmarin, oregano sau orice ierburi la alegere, uscate sau proaspete

INSTRUCȚIUNI:

- Preîncălziți cuptorul la 350 F.
- Într-un castron mic, amestecați făina de cocos și parmezanul ras.
- Pune o linguriță din amestecul de brânză pe o tavă de copt tapetată cu hârtie de copt, lăsând un spațiu mic între fiecare.
- Se da la cuptorul preincalzit si se fierbe 10-15 minute sau pana se rumenesc.
- Scoateți din cuptor și lăsați chipsurile să se răcească înainte de a le scoate din tava de copt.
- Serviți și savurați.

NUTRIȚIE: Calorii 144 | Grăsimi totale 7,5 g | Carbohidrați neți: 8,9 g | Proteine 9,6 g | Fibre: 5,1 g)

42.Mini pizza bombe

Timp total: 10 MIN| Porții: 6

INGREDIENTE:
- 14 felii de cârnați italieni
- 8 măsline negre fără sâmburi
- 3/4 cană cremă de brânză
- 2 linguri busuioc proaspăt, tocat
- 2 linguri pesto
- Sare si piper dupa gust

INSTRUCȚIUNI:
- Tăiați măsline Kalamata fără sâmburi și pepperoni în bucăți mici.
- Amestecați crema de brânză, busuiocul și pesto.
- Adăugați măslinele și feliile de cârnați în crema de brânză și amestecați din nou.
- Se formează bile și se ornează cu pepperoni, busuioc și măsline. Gata!!

NUTRIȚIE: Calorii 261 | Grăsimi totale 23,43g | Carbohidrați neți: 1g | Proteine 10,4 g | Fibre: 0,7 g)

43.Cheesy Bacon Fat Bombs

Timp total: 15 MIN| Porții: 24)

INGREDIENTE:
- 8 fasii de bacon crocant gatit, maruntit
- 1 cana crema de branza, moale
- 1/2 cană unt
- 4 linguri de grasime de bacon
- 4 linguri ulei de cocos
- 1/4 cană Splenda după gust

INSTRUCȚIUNI:
- Într-un vas de cuptor cu microunde, combinați toate ingredientele și topiți încet în cuptorul cu microunde până când se omogenizează. Pune deoparte niște slănină mărunțită,
- Se toarnă într-un vas sau o tavă și se pune la congelator până se întărește, aproximativ 30 de minute.
- Înainte de servire, scoateți din congelator, stropiți cu mai multă slănină mărunțită, feliați și serviți.

NUTRIȚIE: Calorii 151 | Grăsimi totale 15,9 g | Carbohidrați neți: 0,3 g | proteine 0g)

44.Anghinare usoara

Timp total: 2 HR 10 MIN| Porții: 4

INGREDIENTE:

- 4 anghinare
- 3 linguri suc de lamaie
- 2 linguri de unt de cocos, topit
- 1 lingurita sare si piper negru macinat dupa gust
- Apă

INSTRUCȚIUNI:

- Spălați și tăiați anghinarea.
- Începeți prin a scoate frunzele cele mai exterioare până când ajungeți la frunzele galben deschis.
- Apoi, folosind un cuțit zimțat, tăiați treimea de sus a anghinării.
- Cu același cuțit zimțat, tăiați partea de jos a tulpinii.
- Amestecați sarea, untul de cocos topit și sucul de lămâie și turnați peste anghinare.
- Se toarnă apă pentru a acoperi anghinarea. Acoperiți și gătiți la LOW 8-10 ore sau la HIGH 2-4 ore.
- Serviți și savurați.

NUTRIȚIE: Calorii 113,58 | Grăsimi totale 6,98 g | Carbohidrați neți: 1,56 g | Proteine 4,29g | Fibre 6,95 g)

PĂSĂRI

45.Pulpe de pui picante

Timp total: 60 MIN| Porții: 8)

INGREDIENTE:
- 2 lbs. Pulpe de pui
- ¼ cană ghee sau ulei de măsline
- ½ linguriță pudră de usturoi
- ½ lingurita boia
- ½ linguriță de chimion, măcinat
- ¼ lingurita cayenne
- ¼ linguriță coriandru, măcinat
- 1/8 lingurita scortisoara, macinata
- 1/8 linguriță pudră de ghimbir
- 1 lingurita sare
- 1 lingurita curry galben
-

INSTRUCȚIUNI:
- Preîncălziți cuptorul la 425 F.
- Într-un castron mic amestecați toate condimentele pentru a crea o frecare uscată.
- Uscați puiul cu un prosop de hârtie de bucătărie și puneți-l pe o tavă de copt tapetată cu hârtie de copt unsă.
- Ungeți generos puiul cu ghee sau ulei de măsline.
- Frecați condimentele pe pulpele de pui, asigurându-vă că acoperiți fiecare parte.
- Pune puiul la cuptor pentru 50 de minute.
- Se lasa sa se raceasca inainte de servire.

NUTRIȚIE: Calorii 227 | Grasimi totale 20g | Carbohidrați neți: 6g | proteine 21 g)

46.Mure și salată de pui la grătar

Timp total: 1 HR 10 MIN| Servire: 2

INGREDIENTE:

- Suc de lămâie
- $\frac{1}{4}$ cană ulei de măsline (extra virgin)
- $\frac{1}{2}$ cană inimioare de anghinare la conserva
- $\frac{1}{4}$ cană măsline verzi
- 1 lingura otet de mure
- $\frac{1}{4}$ linguriță sare
- 2 piept de pui (fara piele)
- 1 linguriță de cimbru
- 7,1 oz Salată verde
- $\frac{1}{4}$ cană măsline negre
- 1 cană mure

INSTRUCȚIUNI:

- Combinați cimbrul, sucul de lămâie și sarea după gust. Ungeti puiul cu jumatate de ulei apoi cu amestec de cimbru; se lasa deoparte 30 de minute.
- Setați cuptorul la 400 F.
- Coaceți 30 de minute, răciți și feliați.
- Clătiți salata verde și scurgeți-le și puneți-le într-un castron. Scurgeți anghinarea și tocați apoi adăugați-le la salată verde împreună cu puiul.
- Adăugați măsline și murele și stropiți cu uleiul și oțetul rămas.
- Servi.

NUTRIȚIE: Calorii 587 | Grăsimi totale 39,3 g | Carbohidrați neți: 14,6 g | Proteine 45,2g | Fibre 7,9 g)

47.Chilii chili și lime

Timp total: 25 MIN| Servire: 3

INGREDIENTE:
PENTRU Chiftele:
- 2 linguri faina din seminte de in
- 2 cepe primavara, tocate
- 2 linguri coriandru, tocat
- $\frac{1}{2}$ linguriță sare
- $\frac{1}{2}$ suc de lamaie
- 1 lb pui măcinat
- 2 linguri faina de migdale
- $\frac{1}{2}$ ardei gras rosu, tocat
- $\frac{1}{2}$ linguriță pudră de usturoi
- $\frac{1}{2}$ linguriță fulgi de ardei roșu
- 2 oz brânză cheddar, mărunțită

PENTRU GUACAMOLE:
- 1 avocado
- $\frac{1}{4}$ linguriță de usturoi pudră
- Sare
- $\frac{1}{2}$ suc de lamaie
- Piper negru

INSTRUCȚIUNI:
- Setați cuptorul la 350 F.
- Combinați puiul, legumele, brânza, coriandru și condimentele într-un castron și adăugați coaja.
- Adăugați făina de semințe de in și făina de migdale și amestecați.
- Rulați amestecul în bile și puneți-le pe o tavă de copt unsă cu spray de gătit.

● Coaceți timp de 15 minute sau până când sunt fierte bine.

● Combinați ingredientele pentru guacamole și serviți cu chiftele.

NUTRIȚIE: Calorii 428 | Grăsimi totale 31,3 g | Carbohidrați neți: 4,7 g | Proteine 33,7 g | Fibre: 6,7 g)

48.Pui cremos la cuptor cu conopidă-broccoli

Timp total: 1 HR 15 MIN| Porții: 8)

INGREDIENTE:
- 2 piept de pui dezosat
- 1 cană supă de pui
- 3 cani de conopida
- 3 cesti de broccoli, fiert la abur si tocat
- 2 căni de brânză Cheddar mărunțită
- 1 cană smântână groasă
- 1 ceapa galbena mica
- 1/2 lingurita usturoi tocat
- 1 lingurita suc de lamaie
- 1/2 cană maioneză
- 3 linguri ghee
- Pătrunjel proaspăt, tocat
- Sare si piper proaspat dupa gust

INSTRUCȚIUNI:
- Preîncălziți cuptorul la 350 de grade F.
- Într-o cratiță adâncă se fierbe pieptul de pui până când puiul este gătit.
- Intre timp, intr-o tigaie cu ghee se calesc usturoiul si ceapa la foc mic. Adăugați toate condimentele unul câte unul amestecând des.
- În timp ce se gătește, amestecați conopida într-un robot de bucătărie.
- Cand ceapa este moale se adauga conopida. Gatiti 2-3 minute. Adăugați bulionul de pui. Gatiti, acoperit aproximativ 10 minute.

- Adăugați smântâna groasă și sucul de lămâie și lăsați să fiarbă la foc mic, timp de aproximativ 10 minute. La final se adauga maioneza si se amesteca.
- Desfaceți puiul și adăugați jumătate de pui în amestecul de cremă de conopidă.
- Folosiți cealaltă jumătate pentru a căptuși fundul unei caserole de 8x8. Deasupra puiului, puneți un strat cu broccoli tocat.
- Acoperiți cu amestecul de cremă de conopidă.
- Acoperiți-l cu brânză cheddar.
- Coaceți în cuptorul preîncălzit timp de 40 de minute. Se serveste fierbinte.

NUTRIȚIE: Calorii 365 | Grăsimi totale 29g | Carbohidrați neți: 9,2 g | Proteine 17,9g | Fibre 0,95 g)

49.Aripioare de pui Manchego la cuptor

Timp total: 45 MIN| Porții: 4

INGREDIENTE:
- 20 de aripi înghețate
- 1 cană de brânză Manchego rasă (sau parmezan, Asagio...)
- 2 linguri ulei de măsline
- 2 linguri de oregano uscat
- 1/2 lingurita praf de usturoi
- 1 lingurita sare de usturoi

INSTRUCȚIUNI:
- Preîncălziți cuptorul la 450 F.
- Intr-o tava unsa cu ulei de masline asezam aripioare de pui congelate. Se presară cu sare și oregano.
- Coaceți timp de 35 de minute.
- Scoateți din cuptor și aruncați într-un castron cu încă o lingură de ulei de usturoi până se îmbracă.
- Se presară cu brânză Manchego rasă și pudră de usturoi.
- Se serveste fierbinte.

NUTRIȚIE: Calorii 446 | Grasimi totale 33g | Carbohidrați neți: 2,6 g | Proteine 32g | Fibre 0,68 g)

50.Chitei de pui cu bacon

Timp total: 20 MIN| Porții: 10

INGREDIENTE:
- Cutie de 12 oz piept de pui
- 2 ardei gras medii
- ¼ cană parmezan
- 3 linguri faina de cocos
- 4 felii de bacon
- ¼ cană pesto de roșii uscate
- 1 ou

INSTRUCȚIUNI:
- Gatiti baconul pana devine crocant, puneti deoparte pana este nevoie.
- Puneți ardeiul gras într-un procesor și pulsați până se fină, puneți într-un bol și stoarceți excesul de lichid.
- Pune baconul și puiul în procesor și pulsați până se combină bine, transferați amestecul într-un castron cu ardei.
- Adăugați oul, pesto parmezan și făina la amestec și amestecați.
- Încinge uleiul într-o tigaie și formează chifteluțe. Se adaugă în tigaie și se fierbe până devin aurii peste tot.
- Servi.

NUTRIȚIE: Calorii 159 | Grăsimi totale 11,5 g | Carbohidrați neți: 1,7 g | Proteine 9,9 g | Fibre: 14 g)

51.Salată cu curry

Timp total: 10 MIN| Servire: 2

INGREDIENTE:
- 2 pulpe de pui dezosate, fierte si taiate cubulete
- 2 tulpini de telina, taiate cubulete
- $\frac{1}{4}$ cană morcovi, tocați
- $\frac{1}{4}$ cană migdale prăjite, tocate
- $\frac{1}{4}$ ceapă verde, feliată

PENTRU TRASAMENT:
- 1 lingurita pudra de curry
- 3 oz. maioneză
- 3 oz. smântână
- $\frac{1}{4}$ lingurita stevia
- Sare si piper dupa gust

INSTRUCȚIUNI:
- Combinați toate ingredientele pentru dressing, amestecați și lăsați deoparte.
- Puneți toate ingredientele pentru salată într-un castron, stropiți cu dressingul pregătit și amestecați.

NUTRIȚIE: Calorii 549 | Grăsimi totale 33,5g | Carbohidrați neți: 17,1 g | Proteine 45,2g | Fibre 2,5 g)

52.Rozmarin, Plăcinte cu cârnați de pui

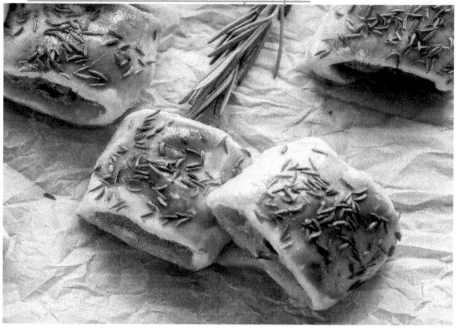

Timp total: 30 MIN| Servire: 2

INGREDIENTE:

- $\frac{3}{4}$ cană brânză cheddar, rasă
- $\frac{1}{4}$ cană ulei de cocos
- 5 gălbenușuri de ou
- $\frac{1}{2}$ linguriță rozmarin
- 1/4 lingurita bicarbonat de sodiu
- 1 $\frac{1}{2}$ cârnați de pui
- $\frac{1}{4}$ cană făină de cocos
- 2 linguri lapte de cocos
- 2 linguri de suc de lamaie
- 1 lingurita piper cayenne
- 1/8 linguriță sare kosher

INSTRUCȚIUNI:

- Setați cuptorul la 350 F.
- Tăiați cârnații, încălziți tigaia și gătiți cârnații. În timp ce cârnații se gătesc, combinați toate ingredientele uscate într-un castron. Într-un alt bol combinați sucul de lămâie, uleiul și laptele de cocos. Adăugați lichide la amestecul uscat și adăugați $\frac{1}{2}$ cană de brânză; se pliază pentru a se combina și se pune în 2 rame.
- Adăugați cârnați gătiți în aluat și folosiți o lingură pentru a împinge amestecul.
- Coaceți 25 de minute până devin aurii deasupra. Acoperiți cu brânză rămasă și puneți la grătar timp de 4 minute.
- Serviți cald.

NUTRIȚIE: Calorii 711 | Grăsimi totale 65,3g | Carbohidrați neți: 5,8 g | Proteine 34,3g | Fibre: 11,5 g)

53.Boia de pui

Timp total: 8 HR 15 MIN| Porții: 8)

INGREDIENTE:
- 3 linguri făină de migdale sau nucă de cocos
- 2,2 lbs de piept de pui fără piele și dezosat, tăiat cu fluturi și fâșii
- 2 cani de ceapa tocata
- 1 1/4 cani de supa de pui
- 1 cană de ardei roșu tocat
- 1/2 cană morcov ras
- 2 linguri boia dulce
- 2 linguri de usturoi tocat
- 1 lingurita sare
- 1 lingurita piper negru proaspat macinat
- 1 ciupercă ciupercă
- 1 1/4 cani de smantana sau crema frage

INSTRUCȚIUNI:
- Combinați făina de migdale și puiul într-un castron mediu; arunca bine. Adăugați amestecul de pui, ceapa tocată și următoarele 8 ingrediente (prin ciuperci) într-un aragaz lent electric. Acoperiți și gătiți la foc mic timp de 8 ore.
- Se amestecă smântâna.

NUTRIȚIE: Calorii 250 | Grăsimi totale 7g | Carbohidrați neți: 5g | proteine 38g)

FRUCTE DE MARE

54.GOLO Crab Sushi

Timp total: 20 MIN| Servire: 1

INGREDIENTE:

- 1 ½ cani buchetele de conopida, tocate
- ½ cană cremă de brânză moale
- ¾ cană carne de crab, fiartă
- 3 linguri de maioneza
- 1 lingura Sriracha
- 1 buc. ambalaj Nori
-

INSTRUCȚIUNI:

- Pulsați buchețelele de conopidă într-un robot de bucătărie și tocați până când obțineți o textură asemănătoare orezului.
- Transferați conopida mărunțită într-un recipient pentru microunde și ștergeți 5 minute la maxim sau până când legumele sunt gătite.
- Se adauga crema de branza cu conopida fierbinte si se amesteca. Pune amestecul la frigider si lasa-l sa se raceasca timp de o ora.
- Puneți ambalajul nori deasupra unui covoraș pentru sushi și întindeți amestecul de conopidă peste el. Nu uitați să lăsați un chenar de 1 inch.
- Între timp, combinați toate ingredientele rămase într-un castron și apoi puneți amestecul de crabi în mijlocul orezului cu conopidă.
- Rulați sushi-ul și tăiați-l în 6-8 bucăți.

NUTRIȚIE: Calorii 446 | Grăsimi totale 35,5g | Carbohidrați neți: 23,4 g | Proteine 10,4g | Fibre 3,8 g)

55.Dip de creveti coco și chili

Timp total: 20 MIN| Servire: 2

INGREDIENTE:

- 12 buc. creveți mari, curățați și devenați
- 1 ½ cană bucăți de nucă de cocos, neîndulcite
- ¼ cană fulgi de cocos
- 6 linguri maioneza
- 3 linguri lapte de cocos
- 1 galbenus de ou
- Ulei de măsline pentru prăjit

PENTRU DIP

- 4 linguri maioneza
- 2 linguri de sos de usturoi chili
- 1 lingurita suc de lamaie

INSTRUCȚIUNI:

- Se usucă creveții și se lasă deoparte.
- Combinați bucățile de nucă de cocos, fulgii de nucă de cocos, maiaua, laptele de cocos și gălbenușul de ou. Amesteca bine.
- Puneți creveții cu amestecul de nucă de cocos. Asigurați-vă că creveții sunt bine acoperiți cu amestecul.
- Încinge ulei în tigaie și prăjește creveții până se rumenesc.
- Bateți toate ingredientele dipului într-un castron mic. Serviți alături de creveți.

NUTRIȚIE: Calorii 670 | Grasimi totale 60g | Carbohidrați neți: 7g | Proteine 11g | Fibre: 3 g)

56.Salată de ton/somon afumat

Timp total: 10 MIN| Servire: 2

INGREDIENTE:

- 3,5 oz somon afumat
- 1 ou fiert tare
- ½ avocado
- 1 cana fasole verde (aburita)
- 5 roșii cherry
- 1 lingura ceapa rosie
- ½ cană de țelină

INSTRUCȚIUNI:

- Puneți toate ingredientele într-un bol, amestecați și savurați.

NUTRIȚIE: Calorii 270 | Grăsimi totale 14,9 g | Carbohidrați neți: 21,6 g | Proteine 16,7g | Fibre 9,4 g)

57.Salată de somon în cupe de avocado

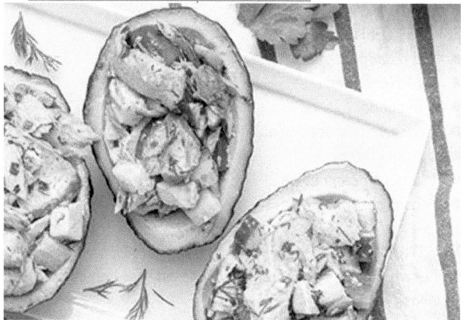

Timp total: 35 MIN| Servire: 2

INGREDIENTE:
- 1 file de somon de mărime medie
- 1 șalotă, tăiată cubulețe
- $\frac{1}{4}$ cană maia
- $\frac{1}{2}$ suc de lamaie
- 2 linguri de mărar proaspăt, tocat
- 1 lingura ghee
- 1 avocado mare, tăiat în jumătate și fără sâmburi
- Sare si piper dupa gust

INSTRUCȚIUNI:
- Preîncălziți cuptorul la 400 F.
- Așezați fileul de somon pe o foaie de copt și stropiți-l cu ghee și zeama de lime. Se condimenteaza cu sare si piper si se da la cuptor pentru 20-25 de minute.
- Când este gata, lăsați somonul să se gătească câteva minute și mărunțiți-l cu o furculiță.
- Puneți somonul într-un castron, adăugați șalota tăiată cubulețe și amestecați bine.
- Adăugați mărarul și maiaua în amestecul de somon și amestecați bine. Pus deoparte.
- Îndepărtați interiorul jumătăților de avocado, asigurându-vă că pielea este încă intactă pentru a face cupe.
- Pasează carnea de avocado într-un castron și apoi adaugă la amestecul de somon. Combinați bine.
- Transferați salata de avocado și ton înapoi în cupele de avocado și serviți.

NUTRIȚIE: Calorii 463 | Grasimi totale 35g | Carbohidrați neți: 6,4 g | proteine 27g)

58.Salata de macrou

Timp total: 20 MIN| Servire: 2

INGREDIENTE:
- 2 oua (bio)
- 2 cani de fasole verde
- 1 lingura ulei de cocos
- Piper negru
- 2 file de macrou (6,3 oz)
- 1 avocado
- 4 căni de verdeață amestecată
- $\frac{1}{4}$ linguriță sare

PENTRU IBRACATIE:
- 2 linguri de suc de lamaie
- 1 lingură muştar de Dijon
- 2 linguri ulei de masline (extra virgin)

INSTRUCȚIUNI:
- Se fierb ouăle până se fierb tari şi apoi se pun într-o tigaie cu apă rece.
- Umpleţi o oală cu apă şi adăugaţi sare după gust. Gătiţi fasolea timp de 5 minute până devine crocantă, scurgeţi-le şi lăsaţi-le deoparte până la nevoie.
- Foloseşte un cuţit pentru a face felii diagonale de-a lungul pielii macroui şi foloseşte piper şi sare pentru a asezona.
- Încinge uleiul de cocos într-o tigaie şi pune macrouri cu pielea în jos în tigaie. Gatiti 5-7 minute pana cand pielea devine crocanta. Scoateţi tigaia de pe foc şi lăsaţi deoparte până este nevoie.
- Pregătiţi dressingul amestecând toate ingredientele. Tăiaţi ouăle în sferturi şi clătiţi verdeaţa şi scurgeţi-le.

- Pune verdeata intr-un castron si deasupra cu macrou si oua; stropiți cu pansament.
- Servi.

NUTRIȚIE: Calorii 609 | Grăsimi totale 49,9 g | Carbohidrați neți: 16,1 g | Proteine 27,3g | Fibre 8,5 g)

59.Prajituri cu crab

Timp total: 20 MIN| Porții: 6

INGREDIENTE:
- 1 lb carne de crab
- ¼ cană pătrunjel, tocat
- 1 linguriță de ardei jalapeno, semințele îndepărtate și tocate
- 1 lingurita suc proaspat de lamaie
- ½ linguriță pudră de muștar
- ½ cană maioneză
- 2 linguri ulei de masline
- 2 cepe verde, taiate cubulete
- ¼ cană coriandru, tăiat cubulețe
- 1 lingurita sos Worcestershire
- 1 lingurita condimente Old Bay
- 1 ou
- Sare

INSTRUCȚIUNI:
- Sortați crabul și îndepărtați bucățile de coajă, transferați într-un castron și lăsați deoparte.
- Adăugați pătrunjel, jalapeno, suc de lămâie, pudră de muștar, ceapă verde, coriandru, sos Worcestershire și condimente Old Bay. Îndoiți ușor amestecul, astfel încât crabul să nu se destrame.
- Adăugați oul într-un bol și bateți apoi adăugați maiaua și amestecați. Adăugați crabul în amestecul de maionă și puneți-l într-o strecurătoare. Puneți o strecurătoare într-un castron și înfășurați cu folie de plastic; pune la frigider peste noapte.

- Scoateți sita din vas și aruncați excesul de lichid. Modelați prăjiturile de crab și acoperiți-le la frigider în timp ce cuptorul se încălzește.
- Setați cuptorul la 200 F.
- Încinge 1 lingură de ulei într-o tigaie și pune 3 dintre prăjiturile de crab în tigaie. Gatiti timp de 3 minute pana devin aurii si fermi apoi intoarceti si gatiti inca 3 minute. Se transfera pe tava de copt si se da la cuptor. Repetați cu resturile de prăjituri de crab.
- Servi.

NUTRIȚIE: Calorii 257 | Grăsimi totale 18,5g | Carbohidrați neți: 0,6 g | Proteine 19,4 g | Fibre: 0,3 g)

60.Salată de creveți și avocado

Timp total: 45 MIN| Servire: 2

INGREDIENTE:
- 12 oz. creveți, coaja îndepărtați și devenați
- 1 avocado copt, curățat de coajă, fără miez și tăiat cubulețe
- 3 cesti baby spanac
- 1 rosie, tocata
- $\frac{1}{4}$ cană ceapă verde, tocată
- $\frac{1}{4}$ cană coriandru proaspăt, tocat

PENTRU MARINADA:
- 4 linguri ulei de masline
- 2 linguri suc de lamaie
- Sare si piper dupa gust
- $\frac{1}{4}$ linguriță de usturoi pudră
- $\frac{1}{4}$ linguriță pudră de chili

INSTRUCȚIUNI:
- Într-un castron, amestecați toate ingredientele pentru marinadă.
- Adăugați creveții în castron și amestecați. Se lasă la marinat 30 de minute la frigider.
- Când creveții sunt gata, încălziți o tigaie antiaderentă la foc mediu. Aruncați creveții și gătiți timp de 2 minute pe fiecare parte.
- Amestecați cuburile de avocado, baby spanac, roșiile tocate, ceapa verde și coriandru într-un castron.
- Acoperiți cu creveții fierți și stropiți cu încă 1 lingură de ulei de măsline.

NUTRIȚIE: Calorii 428 | Grăsimi totale 22,8g | Carbohidrați neți: 15,1 g | Proteine 42,5g | Fibre 8,5 g)

61.Salată de somon în cupe Avo

Timp total: 35 MIN| Servire: 2

INGREDIENTE:
- 1 file de somon de mărime medie
- 1 șalotă, tăiată cubulețe
- $\frac{1}{4}$ cană maia
- $\frac{1}{2}$ suc de lamaie
- 2 linguri de mărar proaspăt, tocat
- 1 lingura ghee
- 1 avocado mare, tăiat în jumătate și fără sâmburi
- Sare si piper dupa gust

INSTRUCȚIUNI:
- Preîncălziți cuptorul la 400 F.
- Așezați fileul de somon pe o foaie de copt și stropiți-l cu ghee și zeama de lime. Se condimenteaza cu sare si piper si se da la cuptor pentru 20-25 de minute.
- Când este gata, lăsați somonul să se gătească câteva minute și mărunțiți-l cu o furculiță.
- Puneți somonul într-un castron, adăugați șalota tăiată cubulețe și amestecați bine.
- Adăugați mararul și maiaua în amestecul de somon și amestecați bine. Pus deoparte.
- Îndepărtați interiorul jumătăților de avocado, asigurându-vă că pielea este încă intactă pentru a face cupe.
- Pasează carnea de avocado într-un castron și apoi adaugă la amestecul de somon. Combinați bine.
- Transferați salata de avocado și somon înapoi în cupele de avocado și serviți.

NUTRIȚIE: Calorii 463 | Grasimi totale 35g | Carbohidrați neți: 6,4 g | proteine 27g)

62.Mușcături de ton avocado

Timp total: 15 MIN| Porții: 12

INGREDIENTE:

- $\frac{1}{4}$ cană maioneză
- $\frac{1}{4}$ cană parmezan
- $\frac{1}{2}$ linguriță pudră de usturoi
- Sare
- 10 oz Ton conservat, scurs
- 1 avocado, cuburi
- 1/3 cană făină de migdale
- $\frac{1}{4}$ lingurita praf de ceapa
- $\frac{1}{2}$ cană ulei de cocos

INSTRUCȚIUNI:

- Combinați toate ingredientele într-un castron, cu excepția uleiului și avocado.
- Adăugați avocado și pliați, folosiți mâinile pentru a forma bile și pudrați cu făină.
- Încinge uleiul într-o oală și prăjește mușcăturile de ton până devin aurii peste tot.
- Servi.

NUTRIȚIE: Calorii 135 | Grăsimi totale 11,8g | Carbohidrați neți: 0,8 g | Proteine 6,2 g | Fibre 1,2 g)

63.Curry de pește thailandez

Timp total: 1 HR 20 MIN| Porții: 8)

INGREDIENTE:
- 1 lingura ulei de cocos
- ½ linguriță pastă de curry thailandez verde (adăugați mai mult dacă vă place un curry mai fierbinte)
- 8-10 cepe de primăvară
- 2 catei de usturoi, macinati
- 1 chili roșu thailandez, fără semințe, dacă doriți, și feliat subțire
- 1 lingurita turmeric
- 1/2 cană supă de pui
- 1½ cani de lapte de cocos
- 2,5 cm bucată de ghimbir proaspăt, curățată și tăiată felii
- 2 linguri Xilitol
- Suc de 1 lime, plus plus după gust
- 1 lingurita sos de peste
- 1,5 lb de pește alb dezosat și fără piele, cum ar fi codul, merluciu și halibut tăiați în bucăți mari
- Piper negru proaspăt măcinat
- Frunze de coriandru tocate, pentru servire

INSTRUCȚIUNI:
- Prăjiți ceapa de primăvară, usturoiul și ardeiul iute, apoi adăugați pasta de curry thailandez verde și apoi presărați turmeric.
- Adăugați bulionul, laptele de cocos, ghimbirul, xilitolul și sucul de la un lime proaspăt și asezonați cu piper. Aduceți la fierbere, amestecând pentru a dizolva pasta și xilitolul, apoi turnați amestecul în aragazul lent.

- Acoperiți aragazul cu capac și gătiți la foc mare timp de 1 oră până când aromele sunt bine amestecate. Adăugați sosul de pește, dacă folosiți, și adăugați puțin xilitol și suc proaspăt de lămâie, dacă doriți.
- Comutați aragazul pe LOW. Adăugați peștele, acoperiți din nou și gătiți până când peștele este gătit și se fulge ușor.
- Presărați coriandru și coajă de lămâie și ardei iute feliat.

NUTRIȚIE: Calorii 312 | Grasimi totale 15g | Carbohidrați neți: 20g | proteine 24 g)

CARNE

64.Hamburgeri copios de Portobello

Timp total: 25 MIN| Servire: 1

INGREDIENTE:
- ½ lingurita ulei de cocos
- 1 lingurita oregano
- 2 capace de ciuperci Portobello
- 1 catel de usturoi
- Sare
- Piper negru
- 1 lingură muştar de Dijon
- ¼ cană brânză cheddar
- 6 oz carne de vită/bizon

INSTRUCȚIUNI:
- Încinge o grătar şi combină condimentele şi uleiul într-un castron.
- Scoateți branhiile din ciuperci şi puneți-le în marinadă până când este necesar.
- Adăugați carnea de vită, brânza, sare, muştar şi piper într-un alt castron şi amestecați pentru a se combina; se transformă într-o chiflă.
- Puneți capace marinate pe grătar şi gătiți timp de 8 minute până când se încălzesc bine. Puneți chiftelul pe grătar şi gătiți pe fiecare parte timp de 5 minute.
- Luați „chile" de pe grătar şi acoperiți cu burger şi orice alte topping-uri pe care le alegeți.
- Servi.

NUTRIȚIE: Calorii 735 | Grasimi totale 48g | Carbohidrați neți: 4g | Proteine 60g | Fibre: 4g)

65.Ardei umpluți cu carne de porc și creveți

Timp total: 2 HR 50 MIN| Servire: 3

INGREDIENTE:

- 1 lb. creveți, decojiți și devenați
- 1 lb. carne de porc macinata
- 5 bucăți ardei gras, tăiați în sferturi
- 4 buc ceapa verde, tocata
- 2 catei de usturoi, tocati
- 1 ou organic
- 1 lingură sos de soia cu conținut scăzut de sodiu
- 1 lingura otet de orez
- 2 linguri de sos de peste
- 1 lingură cinci condimente
- Sare si piper dupa gust
- 1 lingura ulei de susan

INSTRUCȚIUNI:

- Adăugați condimentele, ceapa, uleiul de susan, sosul de pește și oul într-o pungă mare Ziploc.
- Se aruncă în pungă carnea de porc și creveții și se agită.
- Pune la frigider la marinat pentru cel putin 2 ore.
- Setați cuptorul la 375 F când sunteți gata să gătiți
- Puneți amestecul de carne de porc și creveți pe ardeiul gras, puneți-l pe o foaie de copt și gătiți la cuptor timp de 35 de minute.
- Întoarceți tava și apoi coaceți încă 5 minute.
- Se lasă să se odihnească 5 minute înainte de servire.

NUTRIȚIE: Calorii 91 | Grăsimi totale 4,7 g | Carbohidrați neți: 1,5 g | Proteine 9,9 g | Fibre 12 g)

66.Chiftele mexicane picante

Timp total: 35 MIN| Servire: 6)

INGREDIENTE:

- 1 kg carne de vită tocată (92% slabă)
- 4 oz ceapă albă, tocată
- 4 oz brânză Monterey Jack cu ardei picant
- 1 lingura de unt
- 3 catei de usturoi
- 1 lingurita pudra de chili
- 1 lingurita chimen macinat
- 1 lingurita coriandru macinat
- 1 ou
- Sare de mare si piper proaspat macinat dupa gust

INSTRUCȚIUNI:

- Preîncălziți cuptorul la 350 de grade F.
- Într-o tigaie, căliți ceapa în unt până devine translucide. Pus deoparte
- Tocați și tocați brânza Monterey Jack cu ardei picant. Pus deoparte.
- Într-un castron, bateți oul cu brânză ricotta. Adăugați condimentele, sare și piper și amestecați.
- Adauga ceapa si branza Monterey Jack tocata cu ardei picant. Amesteca bine.
- Adăugați carnea de vită și amestecați până când toate ingredientele sunt combinate.
- Rulați amestecul de carne într-o bilă.
- Așezați chiftelele pe o foaie de prăjituri și coaceți aproximativ 20 de minute.
- Se serveste fierbinte.

NUTRIȚIE: Calorii 321,28 | Grăsimi totale 25,25 g | Carbohidrați neți: 2,94 g | Proteine 19,54g| Fibre 0,9 g)

67.Cotlete de porc cu mere rozmarin

Timp total: 20 MIN| Servire: 2

INGREDIENTE:
Pentru cotlete de porc:
- 2 linguri ulei de măsline
- Piper negru
- ½ măr
- 4 Cotlete de porc
- Sarat la gust
- Paprika
- 4 crengute de rozmarin

PENTRU VINIGRETĂ:
- 1 lingura suc de lamaie
- Sarat la gust
- 2 linguri ulei de masline
- 2 linguri otet de mere
- 1 lingura sirop de arțar (fără zahăr)
- Piper negru

INSTRUCȚIUNI:
- Setați cuptorul la 400 F și puneți tigaia din fontă în cuptorul pentru a fi încălzit.
- Uscați cotletele de porc și asezonați cu ulei, boia de ardei, piper și sare.
- Puneți carnea de porc în tigaie și prăjiți timp de 2 minute pe fiecare parte la foc mare.
- Adăugați rozmarin și măr în carnea de porc și coaceți timp de 10 minute până când carnea de porc este bine gătită.
- Combinați toate ingredientele pentru vinegretă, cu excepția uleiului, apoi adăugați ulei înainte de servire.

- Servi.

NUTRIȚIE: Calorii 485 | Grăsimi totale 41,2 g | Carbohidrați neți: 4g | Proteine 25g | Fibre: 1g)

68.Lămâie Muştar Carne De Porc

Timp total: 20 MIN| Servire: 2

INGREDIENTE:
PENTRU CARNE DE PORC:
- 1 lingura de sare
- 1 lingurita Boia
- 16 oz. Muschi de porc (4)
- 1 lingurita piper negru
- 1 linguriță de cimbru

PENTRU SOS DE MUSTAR:
- $\frac{1}{4}$ cană smântână grea
- $\frac{1}{2}$ lămâie
- $\frac{1}{2}$ cană supă de pui
- 1 lingura de otet de mere
- 1 lingura de mustar

INSTRUCȚIUNI:
- Clătiți muschiul de porc și folosiți prosoape de hârtie pentru a usca. Asezonați cu sare, cimbru, boia de ardei și piper.
- Se încălzește o tigaie și se prăjește carnea de porc timp de 3 minute pe fiecare parte. Scoateți din tigaie și lăsați deoparte.
- Folosiți oțet și bulion pentru a deglaza tigaia. Adăugați smântână și amestecați pentru a se combina.
- Adăugați muștar și stoarceți sucul de lămâie în sos. Întoarceți carnea de porc în oală și folosiți sosul pentru a acoperi.
- Gatiti 10 minute pana cand carnea de porc este bine gatita.
- Serviți cu partea dorită.

NUTRIȚIE: Calorii 480 | Grasimi totale 30g | Carbohidrați neți: 1g | Proteine 46g | fibre 1g)

69.Caserolă cu brânză cu conopidă și bacon

Timp total: 1 HR 40 MIN| Porții: 6

INGREDIENTE:
Pentru carne de vită:
- 1 lingura de grasime de bacon
- 1 lingurita Chimen
- ½ linguriță pudră de chili
- ¼ lingurita piper Cayenne
- ¼ lingurita piper negru
- 1 lingură Ketchup, zahăr scăzut
- 1 lingurita sos de peste
- 1 kg carne de vită tocată
- 2 linguri de usturoi
- ½ linguriță Boia
- ½ linguriță de sare
- ¼ lingurita praf de ceapa
- ¼ linguriță doamna. Condimente liniuță
- 1 lingura sos de soia

PENTRU CASEROLĂ:
- 1 Cap de conopida, buchetele
- 4 oz brânză Cheddar
- 10 oz Bacon, prăjit și tocat
- 4 oz cremă de brânză

INSTRUCȚIUNI:
- Adăugați toate ingredientele pentru carnea de vită tocată într-un castron, cu excepția sosului de pește, a sosului de soia și a ketchup-ului. Folosiți mâinile pentru a combina, apoi adăugați într-o pungă de plastic și adăugați sos de pește, sos de soia și ketchup.

- Frecați împreună în pungă și sigilați; pune la frigider pentru 30 de minute sau mai mult.
- Gatiti baconul pana devine crocant, scoateti din oala si tocati-l; păstrați grăsimea pentru utilizare ulterioară.
- Adăugați carnea de vită la uns într-o oală și gătiți până se rumenește peste tot.
- Puneți conopida într-o tavă de copt și acoperiți cu carne de vită fiartă și cremă de brânză, apoi adăugați slănină și acoperiți cu brânză cheddar.
- Setați cuptorul la 350 F. Coaceți timp de 50 de minute până când devine auriu și brânza se topește.
- Servi.

NUTRIȚIE: Calorii 575 | Grăsimi totale 46,3 g | Carbohidrați neți: 4,4 g | Proteine 26,8g | Fibre 2,2 g)

70.Friptură de Ribeye prăjită

Timp total: 20 MIN| Servire: 3

INGREDIENTE:
- 2 fripturi Ribeye medii
- Sare
- Piper negru
- 3 linguri de grasime de bacon

INSTRUCȚIUNI:
- Setați cuptorul la 250 F.
- Așezați un grătar pe o foaie de copt și puneți fripturile pe grătar.
- Folosiți piper și sare pentru a asezona fripturile și coaceți până când temperatura internă a fripturii este de 123 F.
- Topiți grăsimea într-o tigaie de fontă până când este extrem de fierbinte, apoi transferați fripturile în oală și prăjiți-le pe ambele părți.
- Lăsați fripturile să stea câteva minute înainte de a le tăia.
- Servi.

NUTRIȚIE: Calorii 430 | Grăsimi totale 31,7 g | Carbohidrați neți: 0g | Proteine 30,3g | Fibre: 0 g)

71.Carne de vită la gătirea lentă cu ierburi uscate

Timp total: 8 HR 10 MIN| Porții: 5

INGREDIENTE:

- 1 1/2 lb. carne slabă de vită
- 2 coaste de telina
- 1 cană bulion de vită
- 2 linguri faina de amarant
- 2 linguri de unt de migdale
- 2 linguri ulei de masline
- 1 lingurita mustar
- 2 linguri suc proaspăt de lămâie
- 4 linguri patrunjel tocat
- Sare, piper, cimbru uscat, maghiran uscat
-

INSTRUCȚIUNI:

- Într-un castron, amestecați carnea de vită cu făina de amarant. Se încălzește untul și uleiul într-o tigaie; se adauga carnea de vita si se caleste, amestecand, pana se rumeneste.
- Într-un aragaz lent, combinați carnea de vită rumenită cu ingredientele rămase, cu excepția sucului de lămâie și pătrunjelului.
- Acoperiți și gătiți la LOW timp de 6 până la 8 ore.
- Odată gata, adăugați zeama de lămâie și pătrunjelul și serviți fierbinți.

NUTRIȚIE: Calorii 387,96 | Grăsimi totale 12,53 g | Carbohidrați neți: 2,56 g | Proteine 20,96g | Fibre: 0,02 g)

72.Cotlet de miel cu sos de usturoi

Timp total: 40 MIN| Porții: 10

INGREDIENTE:
- 4 lbs. cotlet de miel
- 1 cap mic de usuroi, catei curatati
- 2 linguri otet de mere
- 1/2 cană apă
- 1/4 cană ulei de măsline extravirgin
- Ciupiti sare si piper negru macinat dupa gust

INSTRUCȚIUNI:
- Zdrobiți bine cățeii de usturoi într-un mojar. Intr-un bol adaugam otetul si apa si amestecam bine cu usturoiul zdrobit. Pus deoparte.
- Într-o tigaie mare, turnați uleiul de măsline și prăjiți cotleturile de miel până se rumenesc frumos.
- Adăugați amestecul de usturoi și lăsați-l să fiarbă ușor timp de aproximativ 10 minute.
- Agitați tigaia pentru a întinde uniform amestecul de usturoi peste miel.
- Se condimenteaza cu sare si piper negru dupa gust. Servi.

NUTRIȚIE: Calorii 416 | Grasimi totale 28g | Carbohidrați neți: 0,16 g | Proteine 36g | Fibre: 0,1 g)

73.Friptură de carne delicioasă

Timp total: 1 HR 20 MIN| Porții: 4

INGREDIENTE:

- 7 oz de prosciutto, feliat subțire
- 7 oz provolone, feliate subțire
- 2 cesti baby spanac
- 1 cană sos de roșii
- $\frac{1}{2}$ cană pastă de tomate
- 1 lingura otet de mere
- 4 linguri stevia
- 1 lb. carne de porc macinata
- $\frac{1}{2}$ ceapă, tocată
- $\frac{1}{2}$ cană ardei gras, tocat
- 2 catei de usturoi, tocati
- $\frac{1}{4}$ cană parmezan, ras
- 2 oua bio
- 1 lingurita oregano, uscat
- 1 lingurita busuioc, uscat
- Sare si piper dupa gust
- 1 lingura de unt

INSTRUCȚIUNI:

- Setați cuptorul la 350 F.
- Topiți untul într-o tigaie la foc mediu. Se pune puiul de spanac și se asezonează cu sare și piper. Gatiti pana se ofilesc frunzele.
- Într-un castron combinați sosul de roșii și pasta, împreună cu cidrul de mere și stevia. Se amestecă și se pune deoparte.

● Într-un alt castron, combinați carnea de porc, ceapa, ardeiul gras, usturoiul, parmezanul și ierburile. Amesteca bine.

● Așezați o hârtie de pergament aproximativ 10 inci și întindeți carnea deasupra. Aranjați prosciutto deasupra, urmat de spanacul și provolone pentru a crea o friptură de carne. Sigilați părțile laterale.

● Asezati chifla intr-o tava tapetata cu folie si turnati deasupra sosul de rosii.

● Coaceți la cuptor pentru puțin peste o oră sau până când temperatura interioară atinge 165 F.

NUTRIȚIE: Calorii 516 | Grasimi totale 37g | Carbohidrați neți: 8g | proteine 37g)

74.Umăr de porc tras

Timp total: 5 HR 10 MIN| Porții: 4

INGREDIENTE:
- 2 lbs. umăr întreg de porc
- 2 linguri boia de ardei
- 1 lingurita sare
- 1 lingurita piper
- ½ linguriță chimen
- ¼ linguriță scorțișoară
-

INSTRUCȚIUNI:
- Setați cuptorul la 450 F.
- Înțepăți pielea de porc cu un cuțit ascuțit.
- Combinați toate ingredientele frecvenței și apoi înăbușiți-l peste carnea de porc.
- Puneți într-o tavă de copt și gătiți la cuptor timp de 30 de minute.
- Scoateți din cuptor și acoperiți vasul cu folie.
- Reduceți căldura la 350 F și puneți vasul acoperit în cuptor pentru a fi gătit încă 4 ore și 30 de minute.
- Scoateți carnea de porc din cuptor și trageți cu furculițele. Serviți cu un sos BBQ cu conținut scăzut de carbohidrați.

NUTRIȚIE: Calorii 534 | Grasimi totale 39g | Carbohidrați neți: 0,9 g | Proteine 42,4 g | Fibre: 0,5 g)

75.Miel fript lent

Timp total: 7 HR 15 MIN| Servire: 3

INGREDIENTE:
- 1 lb. pulpă de miel
- 2 linguri muștar de Dijon
- 3 catei de usturoi
- 3 crengute de cimbru
- ½ linguriță rozmarin, uscat
- 3 buc frunze de menta
- 1 lingura stevia lichida
- ¼ cană ulei de măsline
- Sare si piper dupa gust

INSTRUCȚIUNI:
- Tăiați fante mari pe pulpa de miel și puneți-l într-un aragaz lent.
- Combinați muștarul, uleiul de măsline și stevia și apoi frecați mielul. Asezonați cu sare și piper.
- Introduceți usturoiul și rozmarinul din fante.
- Acoperiți și gătiți la foc mic timp de 7 ore.
- Adăugați frunzele de mentă și cimbru după 7 ore și gătiți încă o oră.

NUTRIȚIE: Calorii 413 | Grăsimi totale 35,2 g | Carbohidrați neți: 0,5 g | proteine 26 g)

76.Tocată Savuroasă

Timp total: 20 MIN| Porții: 5

INGREDIENTE:

- 4 linguri ulei de cocos
- 2,2 lbs carne de vită/pui/miel/porc/struț tocat
- 2 cepe tăiate mărunt
- 4 căni de legume (ardei verzi/roșii/galbeni/portocalii, ciuperci, roșii, țelină, măduve și spanac) tăiate mărunt
- 4 morcovi rasi fin
- 1 pachet sos fără gluten
- ½ cană pastă de tomate
- 1 cană bulion de pui

INSTRUCȚIUNI:

- Se încălzește ulei de cocos într-o tigaie și se prăjește ceapa tocată,
- Adăugați carnea tocată cu pastă de roșii și prăjiți.
- Adăugați legumele tocate și morcovul ras la tocatul fiert.
- Continuați să gătiți la foc mic până când legumele sunt bine fierte.
- Dacă amestecul tău pare să se usuce, continuă să adaugi supa de pui pentru a păstra consistența potrivită.
- Cu cât gătiți mai mult acest amestec, cu atât mai mult se vor infuza aromele prin tocat.
- Adăugați sos fără gluten.

NUTRIȚIE: Calorii 596 | Grăsimi totale 14,3 g | Carbohidrați neți: 28g | Proteine 65,5 g | Fibre: 10,7 g)

SUPE ȘI TOCINE

77.Tocană de pui cu lămâie

Timp total: 6 HR 30 MIN| Porții: 10

INGREDIENTE:

- 2 morcovi, tocați
- 2 coaste de telina, tocate
- 1 ceapa, tocata
- 20 de măsline verzi mari
- 4 catei de usturoi, macinati
- 2 foi de dafin
- $\frac{1}{2}$ linguriță oregano uscat
- $\frac{1}{4}$ lingurita sare
- $\frac{1}{4}$ lingurita piper
- 12 pulpe de pui dezosate și fără piele
- $\frac{3}{4}$ cană bulion de pui
- $\frac{1}{4}$ cană făină de migdale sau coajă de psyllium sau măcinată fin
- semințe chia
- 2 linguri suc de lamaie
- $\frac{1}{2}$ cană pătrunjel proaspăt tocat
- Coaja rasă a 1 lămâie

INSTRUCȚIUNI:

- În aragazul lent, combinați morcovii, țelina, ceapa, măslinele, usturoiul, foile de dafin, oregano, sare și piper.
- Aranjați bucățile de pui deasupra legumelor. Adăugați bulion și $\frac{3}{4}$ de cană de apă. Acoperiți și gătiți la foc mic timp de 5-1/2 până la 6 ore sau până când sucurile sunt limpezi când puiul este străpuns. Aruncați frunzele de dafin.
- Bateți făina cu 1 cană de lichid de gătit până se omogenizează; se amestecă cu zeama de lămâie. Turnați

amestecul în aragazul lent; gătiți, acoperit, la mare până se îngroașă, aproximativ 15 minute.

● Amesteca patrunjelul cu coaja de lamaie; serviți presărat peste amestecul de pui. Bucurați-vă!

NUTRIȚIE: Calorii 331 | Grăsimi totale 15,7 g | Carbohidrați neți: 3,9 g | Proteine 40,5g | Fibre 1,2 g)

78.Tocană de vită și varză

Timp total: 9 HR 15 MIN| Porții: 6

INGREDIENTE:

- 1 pachet de morcovi baby congelați
- 2 cepe medii, tocate grosier
- 1 varză mică tăiată cu miez și tăiată în 8 felii
- 8 căței de usturoi, curățați și zdrobiți
- 2 foi de dafin
- 8 bucati de mandrina de vita cu maduva
- Sare si piper proaspat macinat dupa gust
- 2 cutii de rosii taiate cubulete, scurse
- 1 cană bulion de pui

INSTRUCȚIUNI:

- Puneți morcovii mici și ceapa tocată în fundul aragazului lent.
- Deasupra așezați felii de varză.
- Adăugați căței de usturoi zdrobiți și foi de dafin
- Asezonați tulpinile de vită cu sare și piper (apropo, nu ezitați să fiți destul de greoi cu S&P).
- Adăugați tulpini de vită deasupra legumelor.
- Se toarnă roșiile tăiate cubulețe și bulionul înainte de a pune capacul.
- Setați aragazul lent la foc mic timp de 9 ore.

NUTRIȚIE: Calorii 234 | Grăsimi totale 16g | Carbohidrați neți: 5g | proteine 16 g)

79.Tocană copioasă de vită

Timp total: 8 HR 20 MIN| Porții: 6

INGREDIENTE:
- 2,2 lb tocană de vită
- 3 linguri ulei de măsline
- 2 cani de supa de vita
- 1 pachet slănină striată – gătită crocantă și mărunțită
- 2 cutii de rosii taiate cubulete – sucul scurs
- 2 cani de ardei gras amestecati – tocat
- 2 căni de ciuperci – tăiate în sferturi
- 2 coaste telina – tocata
- 1 morcov mare – tocat
- 1 ceapa mica – tocata
- 4 căței mari de usturoi – tocați
- 2 linguri pasta de tomate organica
- 2 linguri de sos Worcestershire
- 2 linguri sare de mare
- 1 ½ linguriță piper negru
- 1 lingurita praf de usturoi
- 1 lingurita praf de ceapa
- 1 lingurita oregano uscat

INSTRUCȚIUNI:
- Setați aragazul lent la nivel scăzut.
- Într-o tigaie mare, la foc mediu, prăjiți carnea de vită în ulei de măsline, rumenindu-se pe ambele părți. Transferați în aragazul lent.
- Se toarnă supa de vită, slănină, roșii, ardei gras, ciuperci, țelină, morcov, ceapă, usturoi, pastă de roșii, sos Worcestershire, sare de mare, piper negru, usturoi pudră, ceapă pudră și oregano uscat în aragazul lent.

- Acoperiți și gătiți la foc mic timp de 6-8 ore.

NUTRIȚIE: Calorii 280 | Grăsimi totale 6g | Carbohidrați neți: 20g | proteine 18g)

80.Tocană de pui cu curry

Timp total: 8 HR 20 MIN| Porții: 8)

INGREDIENTE:

- 8 pulpe de pui cu os
- 2 linguri ulei de măsline sau ulei de cocos
- 6 morcovi tăiați în bucăți de 2 inci
- 1 ceapa dulce taiata felii subtiri
- 1 cană lapte de cocos neîndulcit
- 1/4 cană lapte (sau fierbinte) pastă de curry
- Migdale prăjite, coriandru și chili proaspăt verde sau roșu

INSTRUCȚIUNI:

- Gatiti puiul intr-o tigaie cu pielea in jos, in ulei de masline incins timp de 8 minute sau pana se rumeneste.
- Se ia de pe foc; scurgeți și aruncați grăsimea.
- Într-un aragaz lent, combinați morcovii și ceapa.
- Se amestecă jumătate din laptele de cocos și pasta de curry; se toarnă peste morcovi și ceapă
- Puneți puiul cu pielea în sus deasupra legumelor, turnați peste ulei de măsline din tigaie.
- Acoperiți și gătiți la foc mare timp de 3,5 până la 4 ore sau la foc mic timp de 7 până la 8 ore.
- Scoateți puiul din aragazul lent. Îndepărtați excesul de grăsime din sos în aragaz și apoi amestecați laptele de cocos rămas.
- Serviți tocană în boluri. Acoperiți fiecare porție cu migdale prăjite, coriandru, chili proaspăt și o bucată de iaurt sau cremă frage.

NUTRIȚIE: Calorii 321 | Grasimi totale 22g | Carbohidrați neți: 20g | proteine 14g)

81.Conopidă cu curry și tocană de pui

Timp total: 6 HR 20 MIN| Porții: 8)

INGREDIENTE:

- 3½ linguri ulei de cocos
- 1 legatura de frunze de menta proaspata sau de coriandru, tocate
- 1 cap de conopida, rupta in buchete mari
- Piper negru proaspăt măcinat
- 1½ linguriță sare
- 6 pulpe de pui fără piele cu os, aproximativ 1,1 kg
- 2 cani de iaurt simplu cu lapte integral
- 3 căni de bulion de pui, conservat cu conținut scăzut de sodiu
- 1/2 cană pastă de curry roșu preparată (în funcție de căldura necesară)
- Bucată de 5 cm de ghimbir proaspăt, tocată
- 6 catei de usturoi, tocati
- 1 lămâie tăiată felii

INSTRUCȚIUNI:

- Incalzeste uleiul; se adauga usturoiul si ghimbirul si se fierbe. Adăugați pasta de curry și continuați să gătiți. Bateți bulionul în tigaie; apoi turnați lichidul într-un aragaz lent. Bateți iaurtul în lichid.
- Asezonați puiul peste tot cu sare și piper.
- Adăugați puiul și restul de sare în aragazul lent. Acoperiți și gătiți la foc mare timp de 6 ore, adăugând conopida la jumătatea gătitului.
- Presă deasupra mentă sau coriandru proaspăt rupt. Serviți cu o bucată de lămâie.

NUTRIȚIE: Calorii 343 | Grasimi totale 15g | Carbohidrați neți: 31 g | proteine 23 g)

82.Fermă Miel și tocană de varză

Timp total: 6 HR 50 MIN| Porții: 8)

INGREDIENTE:

- 2 linguri ulei de măsline sau ulei de cocos
- 1,1 lb cotlete de miel, cu os
- 1 cub de supă de miel sau vită
- 2 căni de apă
- 1 varză, tocată mărunt
- 1 ceapă, feliată
- 2 morcovi, tocați
- 2 bețe de țelină, tocate
- 1 linguriță de cimbru uscat
- 1 lingura otet balsamic
- 1 lingură făină de migdale sau coajă de psyllium

INSTRUCȚIUNI:

- Setați aragazul lent la minim.
- Se incinge uleiul intr-o tigaie mare si se rumenesc cotletele de miel.
- Adăugați carne de miel în aragazul lent cu ingredientele rămase, amestecați până când ingredientele sunt distribuite uniform.
- Gatiti la foc mic timp de 6 pana la ore. Apoi scoateți oasele de miel.
- Pentru un sos mai gros, cu 30 de minute înainte de servire, puneți $\frac{1}{4}$ de cană de sos într-un castron mic și amestecați făina de migdale în ea cu o furculiță. Reveniți amestecul în vasul de la aragazul lent, amestecați și lăsați încă 30 de minute.

NUTRIȚIE: Calorii 180 | Grăsimi totale 4g | Carbohidrați neți: 9g | proteine 26 g)

83.Tocană cu fructe de mare

Timp total: 6 HR 50 MIN| Porții: 8)

INGREDIENTE:
- 1 lingura ulei de masline
- 2 cepe, taiate cubulete
- 4 tulpini de telina, tocate
- 4 catei de usturoi, tocati
- 1 lingurita oregano uscat
- 1/2 lingurita piper negru macinat
- 1 lingura pasta de rosii
- 1 lingura de faina
- 3 cani de supa de pui
- 1 cutie de amestec de roșii, ceapă și chili
- 1-2 căni de suc de cocktail de roșii
- 4 piept de pui tăiați în bucăți mici
- 2 pachete de fructe de mare mixte congelate; puteți adăuga scoici în plus la sfârșit
- 2 ardei (rosu si verde)
- 1 ardei jalapeno, tocat
- 1/4 cană pătrunjel, tocat
- 1 lingurita pudra de chili
- 1 praf de piper cayenne
- 1 lingura de unt

INSTRUCȚIUNI:
- Într-o tigaie mare, încălziți uleiul de măsline și prăjiți ceapa și țelina
- Adăugați usturoi, oregano, boabe de piper.
- Se amestecă pasta de roșii și făina de migdale și se mai fierbe un minut.

- Adăugați supa de pui, roșiile și sucul de roșii și aduceți la fierbere. Continuați să gătiți încă aproximativ 3-5 minute. Luați de pe foc și transferați amestecul în aragazul lent.
- Adăugați puiul și amestecați pentru a se combina. Acoperiți și gătiți la foc mare timp de 3 ore sau la scăzut timp de 6 ore.
- Se amestecă pungi de pătrunjel și congelat. Acoperiți și gătiți la foc mare timp de 30 de minute

NUTRIȚIE: Calorii 177 | Grăsimi totale 4g | Carbohidrați neți: 15g | proteine 21 g)

RETETE DE LEGUME

84.Dovleac Carbonara

Timp total: 25 MIN| Servire: 3

INGREDIENTE:
- 1 pachet taitei konjac yam (Shirataki)
- 2 galbenusuri de ou
- 3 linguri piure de dovlecei
- 1/3 cană parmezan, ras
- ½ cană smântână groasă
- 2 linguri de unt organic
- 4 bucăți de pancetta
- ½ linguriță de salvie uscată
- Sare si piper dupa gust

INSTRUCȚIUNI:
- Fierbe apa si inmoaie taiteii in ea timp de 3 minute. Se strecoară și se pune deoparte.
- Se prăjește pancetta pe o tigaie încinsă și se toacă. Rezervați grăsimea din pancetta
- Puneți tăițeii strecurați pe tigaia gătită pentru pancetta și gătiți timp de 5 minute. Pus deoparte.
- Pe alta tigaie (de marime mare) topim untul la foc mediu si lasam sa se rumeneasca. Adăugați piureul de dovlecei și condimentați cu salvie.
- Se toarnă smântâna groasă în tigaie, se adaugă grăsimea din pancetta și se amestecă bine.
- La sfârșit, adăugați parmezanul în sos și amestecați bine. Reduceți focul la mic și amestecați până se îngroașă sosul.
- Transferați tăițeii în tigaia cu sosul, spargeți ouăle și combinați toate ingredientele.

NUTRIȚIE: Calorii 384 | Grăsimi totale 34,7 g | Carbohidrați neți: 2g | proteine 14g)

85.Sos de roșii ușor prăjit

Timp total: 45 MIN| Porții: 10

INGREDIENTE:

- 10 rosii
- Buchet de busuioc proaspăt
- Usturoi, bulb
- Ulei de masline
- Sare si piper

INSTRUCȚIUNI:

- Preîncălziți cuptorul la 375 F.
- Tăiați 10 roșii în jumătate pe lungime
- Adăugați o grămadă de busuioc proaspăt.
- Tăiați un bulb întreg de usturoi prin mijloc și puneți fiecare jumătate cu fața în sus în tava de copt.
- Se scufundă roșiile în ulei de măsline și se pisează sare și piper.
- Se coace la cuptor pentru aproximativ 1 oră și apoi se oprește cuptorul pentru încă 30 de minute și se lasă la cuptorul cald.
- Scoateți roșiile și lăsați să se răcească.
- Nu amestecați, deoarece doriți să stoarceți pulpa și sâmburi din piele și să aruncați pielea, stoarceți usturoiul de pe căței și aruncați cojile.
- Se pasează cu o furculiță.

NUTRIȚIE: Calorii 35 | Grăsimi totale 1g | Carbohidrați neți: 4g | Proteine 1g | Fibre: 1)

86.Ratatouille

Timp total: 20 MIN| Porţii: 4

INGREDIENTE:

- 2 brinjals mari
- 1 ceapă mare
- 2 ardei (poate fi verde, rosu si galben)
- 2 cutii de rosii tocate
- 1 pachet măduve pentru bebeluşi
- 1 ciuperci punnet
- 1 pachet de spanac
- 2 $\frac{1}{4}$ cani de supa de pui
- Sare piper
- 2 catei de usturoi (tacati marunt sau presati)

INSTRUCŢIUNI:

- Tocaţi mărunt toate ingredientele.
- Adăugaţi toate legumele tocate mărunt, usturoiul şi ceapa în bulion şi fierbeţi la foc mediu până când apa scade, iar legumele au format o tocană groasă delicioasă.
- Serviţi cu 150 g brânză de vaci, 30 g cheddar sau 6 linguri parmezan

NUTRIŢIE: Calorii 149 | Grăsimi totale 2g | Carbohidraţi neţi: 29g | Proteine 7g | Fibre: 10g)

87.Coace de conopida

Timp total: 40 MIN| Porții: 10

INGREDIENTE:
- 4 felii de bacon
- 2 cani de broccoli
- 2 cani de conopida
- 2 cani de ciuperci
- 1 ardei verde
- 1 ceapă
- 1 cană smântână
- 3 linguri de brânză, rasă
- 2 linguri ulei de masline

INSTRUCȚIUNI:
- Preîncălziți cuptorul la 360 F.
- Se fierbe sau se fierbe conopida și broccoli până se înmoaie, apoi se transferă într-un vas rezistent la cuptor.
- Prăjiți feliile de bacon, cu ciupercile, ardeiul verde și ceapa în 2 linguri de ulei de măsline.
- Se toarnă baconul și ciupercile prăjite deasupra conopidă.
- Intr-un bol, batem 4 oua cu smantana si asezonam dupa gust si turnam peste conopida sau broccoli.
- Se da la cuptor la fiert timp de 25 de minute. Se scot din cuptor si se presara cu branza rasa.
- Se pune din nou la cuptor și se fierbe încă 5 minute.

NUTRIȚIE: Calorii 100 | Grăsimi totale 6g | Carbohidrați neți: 7g| proteine 4g)

88.Caulicake

Timp total: 55 MIN| Porții: 10

INGREDIENTE:
- 1,3 lb buchetele de conopidă
- 1 ceapa, tocata
- 3 catei de usturoi, tocati marunt
- 1 lingurita turmeric
- 1 cană parmezan, ras fin
- 1 cană de brânză cheddar albă matură, rasă grosier
- 8 ouă
- 1-2 lingurite sare
- 2 linguri de coajă de psyllium
- 1 cană de smântână
- 1 lingura ulei de cocos
- seminte de susan
- Ulei de masline

INSTRUCȚIUNI:
- Preîncălziți cuptorul la 360 F.
- Se fierbe conopida la abur. Păstrați jumătate din ea întreg și zdrobiți restul.
- Se caleste ceapa, usturoiul, turmericul in ulei de cocos pana se inmoaie. Pus deoparte.
- Într-un castron separat, bateți ouăle. Adăugați smântâna, brânza, sarea și coaja de psyllium.
- Se amestecă conopida, întreagă și piure cu ceapa călită și amestecul de ouă într-un castron.
- Tapetați o tavă de copt în formă de arc cu hârtie de copt unsă și presărați cu semințe de susan. Așezați tava pe o tavă de copt.

● Se toarnă amestecul de conopidă și se coace la cuptor pentru 40 de minute.

● Imediat ce iese din cuptor, înțepați ușor suprafața cu o furculiță și stropiți cu ulei de măsline.

NUTRIȚIE: Calorii 160 | Grăsimi totale 11g | Carbohidrați neți: 5g | proteine 8g)

89. „Chiftelute" de varză cu condiment

Timp total: 25 MIN| Porții: 8)

INGREDIENTE:
- 4 linguri ulei de măsline
- 1 cană făină de migdale
- 1 legătură de frunze de kale
- 1 ardei iute verde, tocat
- 1/4 linguriță pudră de chili roșu
- 1/4 linguriță pudră de turmeric
- 1 linguriță pudră de semințe de chimen
- 1/4 lingurita ghimbir, tocat
- Sare neagra sau sare dupa gust
- 1 lingurita bicarbonat de sodiu sau bicarbonat de sodiu (optional)
- Apa pentru aluat

INSTRUCȚIUNI:
- Într-un bol, amestecați toate ingredientele.
- Combinați și frământați aluatul cu degetele. Consistența nu trebuie să fie nici prea groasă, nici prea subțire. Faceți o „chifteluțe" de varză.
- Încinge uleiul într-o tigaie. Așezați o „chifteluțe" de varză în uleiul fierbinte una câte una.
- Prăjiți puțini la un moment dat, nu se grupează cu prea mulți. Când capătă o culoare aurie dintr-o parte, se întoarce și se fierbe pe cealaltă parte.
- Scoateți cartofii prăjiți cu o lingură cu fantă și puneți peste șervețele absorbante.
- Se serveste fierbinte.

NUTRIȚIE: Calorii 125 | Grăsimi totale 6,2 g | Carbohidrați neți: 13g | Proteine 6g | Fibre 4,8 g)

DESERTURI

90.Cheesecake cu lămâie si vanilie

Timp total: 2 HR 5 MIN| Servire: 2

INGREDIENTE:
- 1/4 cană cremă de brânză, moale
- 2 linguri smântână groasă
- 1 lingurita suc de lamaie
- 1 ou
- 1 lingurita extract pur de vanilie
- 2-4 linguri Eritritol sau Stevia

INSTRUCȚIUNI:
- Într-un castron sigur pentru cuptorul cu microunde, combinați toate ingredientele. Puneți la cuptorul cu microunde și gătiți la foc mare timp de 90 de secunde.
- La fiecare 30 de secunde se amestecă pentru a combina bine ingredientele.
- Transferați amestecul într-un bol și puneți-l la frigider pentru cel puțin 2 ore.
- Înainte de a servi deasupra, cu frișcă sau pudră de cocos.

NUTRIȚIE: Calorii 140,42 | Grăsimi totale 13,04g | Carbohidrați neți: 1,38 g | Proteine 4,34g | Fibre 0,01 g)

91.Șoarece de ciocolată

Timp total: 15 MIN| Porții: 4

INGREDIENTE:
- 1/4 cană de smântână groasă
- 1 1/4 cană cremă de cocos
- 2 linguri de cacao pudră
- 3 linguri de eritritol (sau stevia)
- 1 lingura esenta pura de vanilie
- Nucă de cocos mărunțită, neîndulcită

INSTRUCȚIUNI:
- Adăugați smântâna de cocos și smântâna groasă în bol și amestecați împreună folosind un mixer manual la viteză mică.
- Adăugați ingredientele rămase și amestecați la viteză mică timp de 2-3 minute până când amestecul este gros.
- Se servesc in ramekine individuale presarate cu nuca de cocos maruntita neindulcita.

NUTRIȚIE: Calorii 305,19 | Grăsimi totale 31,91 g | Carbohidrați neți: 6,97 g | Proteine 3,56 g | Fibre 2,55 g)

92.Budinca de capsuni

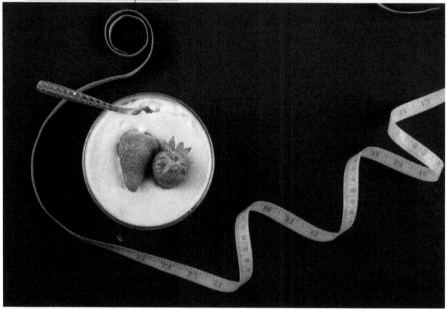

Timp total: 35 MIN| Servire: 3

INGREDIENTE:
- 4 gălbenușuri de ou
- 2 linguri de unt
- 1/4 cană făină de cocos
- 2 linguri smântână groasă
- 1/4 cană căpșuni
- 1/4 lingurita praf de copt
- 2 linguri ulei de cocos
- 2 linguri de suc de lamaie
- Zest 1 Lămâie
- 2 linguri de eritritol
- 10 picături Stevia lichidă

INSTRUCȚIUNI:
- Preîncălziți cuptorul la 350 F.
- Intr-un castron se bat galbenusurile cu un mixer electric pana devin palide. Adăugați eritritol și 10 picături de Stevia lichidă. Bate din nou până se combină complet.
- Adăugați smântână groasă, sucul de lămâie și coaja de 1 lămâie. Adăugați nuca de cocos și untul. Bate bine până nu se găsesc cocoloașe.
- Cerne ingredientele uscate peste ingredientele umede, apoi amestecă bine la viteză mică.
- Distribuiți uniform căpșunile în aluat împingându-le în partea de sus a aluatului.
- Coaceți 20-25 de minute. Odată terminat, se lasă să se răcească 5 minute și se servește.

NUTRIȚIE: Calorii 258,65 | Grăsimi totale 23,46 g |
Carbohidrați neți: 9,3 g | Proteine 3,98g | Fibre 0,61 g)

93.Înghețată Kiwi Fiend

Timp total: 8 HR 15 MIN| Porții: 6

INGREDIENTE:
- 3 galbenusuri de ou
- 1 1/2 cani de kiwi, piure
- 1 cană smântână groasă
- 1/3 cană eritritol
- 1/2 linguriță extract pur de vanilie
- 1/8 linguriță de semințe de chia

INSTRUCȚIUNI:
- Într-o cratiță se încălzește smântâna groasă. Adăugați eritritol și fierbeți până când eritritolul s-a dizolvat.
- Bateți 3 gălbenușuri de ou într-un castron de mărime medie cu un mixer electric. Adăugați amestecul de smântână fierbinte, câte 1 linguriță la ouă în timp ce bateți. Adăugați puțin extract de vanilie pur și amestecați. Adăugați 1/8 linguriță. de semințe de chia.
- Odată ce ingredientele sunt combinate, puneți bolul în congelator și lăsați-l să se răcească timp de 1-2 ore, amestecând de două ori.
- Între timp, piureați kiwi-ul nu mai mult de 1-2 secunde. Când înghețata devine mai groasă, aproximativ 1 oră adăugați amestecul de kiwi la cremă și amestecați bine.
- Lăsați înghețata de kiwi să se răcească timp de cel puțin 6-8 ore. Serviți în pahare răcite.

NUTRIȚIE: Calorii 192,47 | Grăsimi totale 17,2 g | Carbohidrați neți: 8,13 g | Proteine 2,69g | Fibre 1,46 g)

94.Sorbet de lămâie cu mentă de avocado

Timp total: 3 HR 15 MIN| Porții: 6

INGREDIENTE:

- 1 cană lapte de cocos
- 2 avocado, feliate pe verticală în 5 bucăți
- 1/4 frunze de menta, tocate
- 1/4 cană eritritol pudră
- 2 lime, suc
- 1/4 lingurita Stevia lichida

INSTRUCȚIUNI:

- Puneți bucățile de avocado pe folie și stoarceți $\frac{1}{2}$ suc de lămâie deasupra.
- Pune avocado la congelator pentru cel puțin 3 ore.
- Folosind o râșniță de condimente, pudră Eritritol.
- Într-o tigaie, aduceți laptele de cocos la fiert.
- Zeste cele 2 lime pe care le ai in timp ce laptele de cocos se incalzeste. Adaugam coaja de lime si continuam sa lasi laptele sa reduca in volum.
- Scoateți și puneți laptele de cocos într-un recipient și păstrați-l la congelator.
- Tăiați frunzele de mentă. Scoateți avocado din congelator.
- Adăugați avocado, frunze de mentă și sucul de lămâie în robotul de bucătărie. Pulsați până când obțineți o consistență consistentă.
- Turnați amestecul de lapte de cocos peste avocado în robotul de bucătărie. Adăugați Stevia lichidă la aceasta.
- Se amestecă amestecul timp de aproximativ 2-3 minute.
- Reveniți la congelator pentru a îngheța sau serviți imediat!

NUTRIȚIE: Calorii 184,18 | Grăsimi totale 17,26 g | Carbohidrați neți: 9,65 g | Proteine 1,95 g | Fibre 4,59 g)

SMOOTHIES

95.Smoothie de afine și migdale

Timp total: 12 MIN| Servire: 2

INGREDIENTE:

- 16 oz lapte de migdale, neindulcit
- 1 lingurita xilitol
- 4 oz smântână groasă
- $\frac{1}{4}$ de cană de afine congelate neîndulcite
- 1 lingură de pudră proteică din zer, vanilie

INSTRUCȚIUNI:

- Pune toate ingredientele într-un blender și amestecă până se omogenizează.
- Adăugați puțină apă dacă devine prea groasă.
- Măsurați acele afine pe măsură ce adaugă mai mulți carbohidrați.

NUTRIȚIE: Calorii 314 | Grăsimi totale 23,7 g | Carbohidrați neți: 8,7 g | Proteine 16,4g | Fibre: 0,5 g)

96.Smoothie de portocale cu ciocolată și caju

Timp total: 10 MIN| Servire: 1

INGREDIENTE:
- 1 cană lapte caju
- 1 mână de frunze de rucola
- 1 lingură pudră de proteine din zer de ciocolată
- 1/8 lingurita extract de portocale
- Cuburi de gheata

INSTRUCȚIUNI:
- Pune toate ingredientele în blender și amestecă până se omogenizează bine și se omogenizează.
- Adăugați gheață suplimentară și serviți.

NUTRIȚIE: Calorii 45 | Grăsimi totale 1,05 g | Carbohidrați neți: 7g | proteine 3g)

97.Smoothie cu maghiran cu capsuni

Timp total: 10 MIN| Servire: 1

INGREDIENTE:
- 1/4 cană căpșuni proaspete sau congelate
- 2 frunze proaspete de maghiran
- 2 linguri smântână groasă
- 1 cană lapte de cocos neîndulcit
- 1 lingura sirop de vanilie fara zahar
- 1/2 linguriță extract pur de vanilie
- Cuburi de gheata

INSTRUCȚIUNI:
- Pune toate ingredientele în blender și amestecă până se omogenizează.
- Dacă doriți, puteți adăuga cuburile de gheață.
- Servi.

NUTRIȚIE: Calorii 292 | Grăsimi totale 26,7 g | Carbohidrați neți: 6g | Proteine 2,8 g | Fibre: 0,76 g)

98.Combustibilul Verde

Timp total: 10 MIN| Servire: 1

INGREDIENTE:

- 1 cana lapte de migdale, neindulcit
- 1 cană baby spanac
- $\frac{1}{2}$ avocado copt
- $\frac{1}{2}$ lingurita stevia
- 1 cană de gheață

INSTRUCȚIUNI:

- Pune toate ingredientele într-un blender și amestecă până se omogenizează.
- Serviți și consumați imediat.

NUTRIȚIE: Calorii 382 | Grăsimi totale 38,5g | Carbohidrați neți: 11,5 g | Proteine 4,1 g | Fibre 6,3 g)

99.Smoothie cu sfeclă castraveți

Timp total: 10 MIN| Porții: 4

INGREDIENTE:

- 1 cană frunze de spanac
- 2 căni de castraveți (curățați, fără semințe și tocați)
- 1/2 cană morcov tocat
- 1/2 cană de sfeclă roșie proaspătă
- 3/4 cană smântână grea (pentru frișcă).
- 4 linguri de indulcitor la alegere (optional)
- O mână de migdale măcinate
- 1 cană cuburi de gheață
- 1 cană de apă

INSTRUCȚIUNI:

- Pune toate ingredientele într-un blender.
- Pulsați până la omogenizare.
- Serviți imediat.

NUTRIȚIE: Calorii 137,91 | Grăsimi totale 12,99 g | Carbohidrați neți: 3,4 g | Proteine 1,66 g | Fibre: 1,44 g)

100.Smoothie cu coriandru și ghimbir

Timp total: 10 MIN| Servire: 3

INGREDIENTE:

- 1/2 cană coriandru proaspăt (tocat)
- Ghimbir de 2 inchi, proaspăt
- 1 castravete
- 2 linguri de seminte de chia
- 1/2 cană spanac, proaspăt
- 1 lingura unt de migdale
- O mână de migdale măcinate
- 1 lime (sau lamaie)
- 2 căni de apă

INSTRUCȚIUNI:

- Amesteca spanacul, castravetele si apa pana se omogenizeaza.
- Adăugați fructele rămase și amestecați din nou.

NUTRIȚIE: Calorii 102,72 | Grăsimi totale 6,92 g | Carbohidrați neți: 13,96 g | Proteine 71g | Fibre 6,88 g)

CONCLUZIE

Pe măsură ce încheiem această călătorie gastronomică, sperăm că „Gastronomia GOLO: Rețete hrănitoare pentru un stil de viață echilibrat" a fost o sursă de inspirație și sprijin în experiența dvs. Dieta GOLO. Rețetele și cunoștințele împărtășite în această carte de bucate au scopul de a vă ajuta să adoptați o abordare echilibrată și durabilă a nutriției, creând mese care nu sunt doar sănătoase, ci și delicioase.

Amintiți-vă, dieta GOLO nu este o dietă restrictivă, ci mai degrabă un mod de viață care subliniază importanța nutriției echilibrate și a alimentației conștiente. Cu rețetele și sfaturile oferite, sperăm că ați câștigat încrederea și creativitatea pentru a adapta și personaliza preparatele pentru a se potrivi preferințelor și nevoilor dumneavoastră dietetice.

Fie ca „GOLO Gastronomie" să continue să fie un însoțitor de încredere în călătoria dumneavoastră către o sănătate și o bunăstare optime. Pe măsură ce continuați să explorați aromele și nutriția acestei aventuri culinare, savurați fiecare mușcătură și sărbătoriți bucuria de a vă hrăni corpul și de a îmbrățișa un stil de viață echilibrat.

Așadar, lăsați principiile Dietei GOLO să vă ghideze alegerile, infuzați-vă bucătăria cu ingrediente sănătoase și bucurați-vă de procesul de a crea mese delicioase și hrănitoare care vă susțin bunăstarea. Noroc pentru o viață plină de gust și echilibrat!